초등 수학 전문가가 만든 연산 교재

원리셈

5학년 ①

• 혼합 계산 •

지은이의 말

수학은 원리로부터

수학은 구체물의 관계를 숫자와 기호의 약속으로 나타내는 추상적인 학문입니다. 이 점이 아이들이 수학을 어려워하는 가장 큰 이유입니다. 이러한 수학은 제대로 된 이해를 동반할 때 비로소 힘을 발휘할 수 있습니다. 수학은 어느 단계에서나 원리가 가장 중요합니다.

수학 교육의 변화

답을 내는 방법만 알아도 되는 수학 교육의 시대는 지나고 있습니다. 연산도 한 가지 방법만 반복 연습하기 보다 다양한 풀이 방법이 중요합니다. 교과서는 왜 그렇게 해야 하는지 가르쳐 주고 다양한 방법을 생각하도록 하지만, 학생들은 단순하게 반복되는 연습에 원리는 잊어버리고 기계적으로 답을 내다보니 응용된 내용의 이해가 부족합니다.

연산 학습은 꾸준히

유초등 학습 단계에 따라 4권~6권의 구성으로 매일 10분씩 꾸준히 공부할 수 있습니다. 원리와 다양한 방법의 학습은 그림과 함께 재미있게, 연습은 다양하게 진행하되 마무리는 집중하여 진행하도록 했습니다. 부담 없는 하루 학습량으로 꾸준히 공부하다 보면 어느새 연산 실력이 부쩍 늘어난 것을 알 수 있습니다.

개정판 원리셈은

동영상 강의 확대/초등 고학년 원리 학습 과정 강화 등으로 교과 과정을 완벽하게 대비할 수 있도록 원리와 개념, 계산 방법을 학습합니다. 단계별 원리 학습은 물론이고 연습도 강화했습니다.

학부모님들의 연산 학습에 대한 고민이 원리셈으로 해결되었으면 하는 바람입니다.

지은이 천종현

원리샘의 특징

☑ **원리샘의 학습 구성**

한 권의 책은 매일 10분 / 매주 5일 / 6주 학습

☑ **원리샘의 시나브로 강해지는 학습 알고리즘**

초등 원리샘은

시작은 원리의 이해로부터, 마무리는 충분한 연습과 성취도 확인까지

☑ **체계적인 학습 구성**

쉽게 이해하고 스스로 공부!
실수가 많은 부분은 별도로 확인하고 연습!
주제에 따라 실전을 위한 확장적 사고가 필요한 내용까지!
원리로 시작되는 단계별 학습으로 곱셈구구마저 저절로 외워진다고 느끼도록!

원리셈 전체 단계

 키즈 원리셈

 초등 원리셈

초등 원리샘의 단계별 학습 목표

원리와 연습을 모두 잡는 원리샘!!

학년별 학습 목표와 다른 책에서는 만나기 힘든 특별한 내용을 확인해 보세요.

○ 1학년 원리샘

모든 연산 과정 중 실수가 가장 많은 덧셈, 뺄셈의 집중 연습
여러 가지 계산 방법 알기
덧셈, 뺄셈의 관계를 이용한 '□ 구하기'의 이해

○ 2학년 원리샘

두 자리 덧셈, 뺄셈의 여러 가지 계산 방법의 숙지와 이해
곱셈 개념을 폭넓게 이해하고, 곱셈구구를 힘들지 않게 외울 수 있는 구성
나눗셈은 3학년 교과의 내용이지만 곱셈구구를 외우는 것을 도우면서 곱셈구구의 범위에서 개념 위주 학습

○ 3학년 원리샘

기본 연산은 정확한 이해와 충분한 연습
곱셈, 나눗셈의 관계를 이용한 '□ 구하기'의 이해
분수는 학생들이 어려워 하는 부분을 중점적으로 이해하고, 연습하도록 구성

○ 4학년 원리샘

작은 수의 곱셈, 나눗셈 방법을 확장하여 이해하는 큰 수의 곱셈, 나눗셈
교과서에는 나오지 않는 실전적 연산을 포함
많이 틀리는 내용은 별도 집중학습

○ 5학년 원리샘

연산은 개념과 유형에 따라 단계적으로 학습 후 충분한 연습
약수와 배수는 기본기를 단단하게 할 수 있는 체계적인 구성

○ 6학년 원리샘

분수와 소수의 나눗셈은 원리를 단순화하여 이해
비의 개념을 확장하여 문장제 문제 등에서 만나는 비례 관계의 이해와 적용
비와 비례식은 중등 수학을 대비하는 의미도 포함. 강추 교재!!

5학년 구성과 특징

1권 자연수의 혼합 계산은 학생들이 어려움을 겪는 주제로, 단계적으로 공부하면서 쉽게 방법을 익힐 수 있도록 했습니다. 약수와 배수, 분수의 덧셈과 뺄셈, 분수와 소수의 곱셈은 원리를 알아보고, 연습은 빠르고, 정확하게 할 수 있도록 충분하게 진행합니다.

원리

원리를 직관적으로 이해하고 쉽게 공부할 수 있도록 하였습니다.

다양한 계산 방법

다양한 계산 방법을 공부함으로써 수를 다루는 감각을 키우고, 상황에 따라 더 정확하고 빠른 계산을 할 수 있도록 하였습니다.

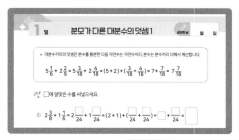
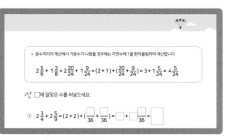

연습

기본 연습 문제를 중심으로 여러 형태의 문제로 지루하지 않게 반복하여 연습할 수 있도록 구성하였습니다.

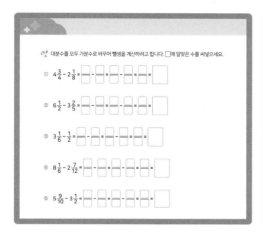

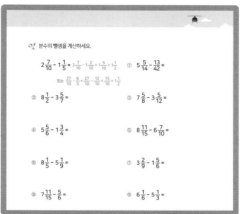

도전! 계산왕

주제가 구분되는 두 개의 단원은 정확성과 빠른 계산을 위한 집중 연습으로 주제를 마무리 합니다.

성취도 평가

개념의 이해와 연산의 수행에 부족한 부분은 없는지 성취도 평가를 통해 확인합니다.

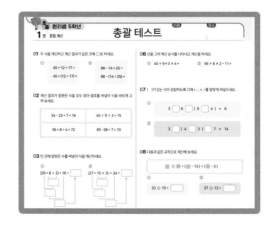

원리셈 100% 활용하기

☑ 책의 사이사이에 학생의 학습을 돕기 위한 저자의 내용을 잘 이용하세요.

📘 단원의 학습 내용과 방향

한 주차가 시작되는 쪽의 아래에 그 단원의 학습 내용과 어떤 방향으로 공부하는지를 설명해 놓았습니다.
학부모님이나 학생이 단원을 시작하기 전에 가볍게 읽어 보고 공부하도록 해 주세요.

📚 이해를 돕는 저자의 동영상 강의

처음 접하는 원리/개념과 연산 방법의 이해를 돕기 위한 동영상 강의가 있으니 이해가 어려운 내용은 QR코드를
이용하여 편리하게 동영상 강의를 보고, 공부하도록 하세요.

학습 동영상

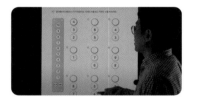

📝 학습 Tip   간략한 도움글은 각 쪽의 아래에 있습니다.

✍ 천종현수학연구소 네이버 카페와 홈페이지를 활용하세요.

카페와 홈페이지에는 추가 문제 자료가 있고, 연산 외에서 수학 학습에 어려움을 상담 받을 수 있습니다.

네이버에서 천종현수학연구소를 검색하세요.

• **1** 주차 •
덧셈과 뺄셈, 곱셈과 나눗셈

차례로 계산하는 것이 기본인 덧셈과 뺄셈, 곱셈과 나눗셈의 혼합 계산을 풀어본 후 괄호가 있는 식의 계산 순서를 연습합니다. 괄호는 소괄호 1개만 있는 경우를 공부합니다.

🤔 □에 알맞은 수를 써넣어 차례로 계산하세요.

① $25 + 43 - 19 = \boxed{} - 19$

$= \boxed{}$

② $31 - 16 + 23 = \boxed{} + 23$

$= \boxed{}$

③ $19 - 13 + 7 = \boxed{} + 7$

$= \boxed{}$

④ $16 + 23 - 9 = \boxed{} - 9$

$= \boxed{}$

⑤ $35 - 27 + 9 - 14$

$\boxed{} + 9 - 14 = \boxed{} - 14$

$= \boxed{}$

⑥ $28 + 15 - 17 - 20$

$\boxed{} - 17 - 20 = \boxed{} - 20$

$= \boxed{}$

⑦ $15 + 4 - 16 + 11$

$\boxed{} - 16 + 11 = \boxed{} + 11$

$= \boxed{}$

⑧ $35 + 8 - 26 + 9$

$\boxed{} - 26 + 9 = \boxed{} + 9$

$= \boxed{}$

Tip 덧셈과 뺄셈만 있는 식은 앞에서부터 차례로 계산하는 것이 기본입니다.

□에 알맞은 수를 써넣어 차례로 계산하세요.

①
$$12 \times 6 \div 4 = \boxed{} \div 4$$
$$= \boxed{}$$

②
$$24 \div 3 \times 7 = \boxed{} \times 7$$
$$= \boxed{}$$

③
$$18 \times 2 \div 9 = \boxed{} \div 9$$
$$= \boxed{}$$

④
$$16 \div 4 \times 2 = \boxed{} \times 2$$
$$= \boxed{}$$

⑤
$$4 \times 8 \div 2 \times 6$$
$$\boxed{} \div 2 \times 6 = \boxed{} \times 6$$
$$= \boxed{}$$

⑥
$$12 \div 2 \times 4 \times 5$$
$$\boxed{} \times 4 \times 5 = \boxed{} \times 5$$
$$= \boxed{}$$

⑦
$$12 \div 4 \times 6 \div 3$$
$$\boxed{} \times 6 \div 3 = \boxed{} \div 3$$
$$= \boxed{}$$

⑧
$$36 \div 3 \div 4 \times 9$$
$$\boxed{} \div 4 \times 9 = \boxed{} \times 9$$
$$= \boxed{}$$

Tip

덧셈, 뺄셈과 같이 곱셈과 나눗셈만 있는 식은 앞에서부터 차례로 계산하는 것이 기본입니다.

🐛 계산을 하세요.

① 37 + 15 − 28 =

② 17 + 12 − 8 − 15 =

③ 15 − 8 + 23 =

④ 45 − 16 + 55 − 7 =

⑤ 4 + 17 − 8 =

⑥ 110 − 56 − 7 + 35 =

⑦ 15 × 6 ÷ 9 =

⑧ 48 ÷ 4 × 5 ÷ 2 =

⑨ 8 × 12 ÷ 4 =

⑩ 56 ÷ 7 × 8 × 4 =

⑪ 36 ÷ 6 × 5 =

⑫ 5 × 14 × 3 ÷ 70 =

덧셈, 뺄셈과 괄호

□에 알맞은 수를 써넣어 식을 계산하세요.

( )가 있는 식은 ( ) 안을 먼저 계산합니다.

$$17 - 5 + 6 = \boxed{18}$$
$$\boxed{12}$$
$$\boxed{18}$$

$$17 - (5 + 6) = \boxed{6}$$
$$\boxed{11}$$
$$\boxed{6}$$

두 식을 비교해 보면 ( )가 있을 때와 없을 때 계산 순서가 달라서 계산 결과가 다릅니다.

① $23 - (16 - 3) = \boxed{}$

② $14 + (32 - 7) = \boxed{}$

③ $103 - (35 + 26) = \boxed{}$

④ $89 - (54 - 38) = \boxed{}$

⑤ $127 - (65 + 36) = \boxed{}$

⑥ $71 + (15 + 27) = \boxed{}$

선으로 표시된 것을 먼저 계산하여 양쪽의 계산 결과를 비교해 보세요.

①

$17 + 33 + 47 = \boxed{} + 47$

$= \boxed{}$

$17 + (33 + 47) = 17 + \boxed{}$

$= \boxed{}$

②

$68 - 29 - 16 = \boxed{} - 16$

$= \boxed{}$

$68 - (29 - 16) = 68 - \boxed{}$

$= \boxed{}$

③

$75 - 35 + 26 = \boxed{} + 26$

$= \boxed{}$

$75 - (35 + 26) = 75 - \boxed{}$

$= \boxed{}$

④

$13 + 27 - 19 = \boxed{} - 19$

$= \boxed{}$

$13 + (27 - 19) = 13 + \boxed{}$

$= \boxed{}$

Tip

차례로 계산하는 것과 괄호부터 계산한 결과가 다를 때가 있습니다. 따라서 괄호가 있으면 반드시 괄호부터 계산합니다.

😮 계산을 하세요.

① 46 − (12 + 19) =

② 88 − (52 − 13) =

③ 29 + (22 − 19) =

④ 37 + (16 + 25) =

⑤ 74 − (26 + 15) =

⑥ 46 − (17 − 16) =

⑦ 55 − (17 + 24) =

⑧ 16 + (41 − 35) =

⑨ 60 − (27 − 26) =

⑩ 31 + (27 − 25) =

⑪ 59 − (6 + 25) =

⑫ 17 − (25 − 9) =

⑬ 38 − (5 + 17) =

⑭ 24 + (17 − 8) =

☝️ □에 알맞은 수를 써넣어 식을 계산하세요.

( )가 있는 식은 ( ) 안을 먼저 계산합니다.

$$24 ÷ 4 × 2 = \boxed{12}$$
$$\boxed{6}$$
$$\boxed{12}$$

$$24 ÷ (4 × 2) = \boxed{3}$$
$$\boxed{8}$$
$$\boxed{3}$$

두 식을 비교해 보면 ( )가 있을 때와 없을 때 계산 순서가 달라서 계산 결과가 다릅니다.

① $45 ÷ (15 ÷ 3) = \boxed{}$

② $14 × (12 ÷ 6) = \boxed{}$

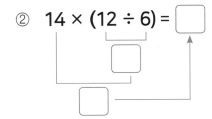

③ $100 ÷ (5 × 4) = \boxed{}$

④ $80 ÷ (24 ÷ 3) = \boxed{}$

⑤ $126 ÷ (3 × 7) = \boxed{}$

⑥ $7 × (15 × 4) = \boxed{}$

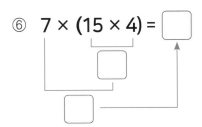

선으로 표시된 것을 먼저 계산하여 양쪽의 계산 결과를 비교해 보세요.

①
$7 \times 3 \times 4 = \boxed{} \times 4$

$= \boxed{}$

$7 \times (3 \times 4) = 7 \times \boxed{}$

$= \boxed{}$

②
$64 \div 8 \div 2 = \boxed{} \div 2$

$= \boxed{}$

$64 \div (8 \div 2) = 64 \div \boxed{}$

$= \boxed{}$

③
$90 \div 5 \times 2 = \boxed{} \times 2$

$= \boxed{}$

$90 \div (5 \times 2) = 90 \div \boxed{}$

$= \boxed{}$

④
$5 \times 12 \div 6 = \boxed{} \div 6$

$= \boxed{}$

$5 \times (12 \div 6) = 5 \times \boxed{}$

$= \boxed{}$

Tip

차례로 계산하는 것과 괄호부터 계산한 결과가 다를 때가 있습니다. 따라서 괄호가 있으면 반드시 괄호부터 계산합니다.

계산을 하세요.

① $36 \div (9 \times 2) =$

② $88 \div (8 \div 4) =$

③ $9 \times (12 \div 3) =$

④ $3 \times (6 \times 5) =$

⑤ $24 \div (6 \times 2) =$

⑥ $56 \div (42 \div 3) =$

⑦ $45 \div (3 \times 5) =$

⑧ $6 \times (60 \div 15) =$

⑨ $60 \div (30 \div 5) =$

⑩ $12 \times (56 \div 7) =$

⑪ $98 \div (7 \times 2) =$

⑫ $27 \div (72 \div 8) =$

⑬ $81 \div (54 \div 2) =$

⑭ $68 \div (2 \times 2) =$

Tip

덧셈, 뺄셈, 곱셈, 나눗셈과 괄호가 섞여 있는 계산을 혼합 계산이라고 합니다.

연산 퍼즐

🔑 빈 곳에 알맞은 수를 써넣으세요.

| 56 | + | 48 | – | 90 | = | |

| | | | | | × |
| | | | | | 3 |

| 54 | + | 7 | – | 9 | = | |

| | | | × | | ÷ |

| 12 | | 10 | + | 4 | – | 2 | = | |

| × | | ÷ | | × | | ‖ |

| 5 | + | 45 | – | 29 | = | |

| ÷ | | ‖ | | ÷ |

| 10 | | | + | 29 | – | 17 | = | |

| ‖ | | | | ‖ |

두 식을 계산하고 계산 결과가 같은 것에 ◯표 하세요.

$36 + 13 + 20 =$

$36 + (13 + 20) =$

$49 - 16 + 27 =$

$49 - (16 + 27) =$

$57 - 15 + 27 =$

$57 - (15 + 27) =$

$42 - 8 + 29 =$

$42 - (8 + 29) =$

$5 \times 3 \times 12 =$

$5 \times (3 \times 12) =$

$96 \div 4 \div 2 =$

$96 \div (4 \div 2) =$

$84 \div 7 \times 4 =$

$84 \div (7 \times 4) =$

$3 \times 24 \div 8 =$

$3 \times (24 \div 8) =$

계산 결과가 잘못된 식을 모두 찾아 괄호를 써넣어 식을 바르게 고쳐 보세요.

72 − (13 + 39) = 20	36 ÷ 6 ÷ 3 = 2
112 ÷ 8 × 7 = 2	61 − 33 − 16 = 44
120 + 32 − 87 = 65	6 + 75 + 26 = 107
26 ÷ 13 × 15 = 30	37 − 13 + 9 = 15
96 ÷ 3 ÷ 4 = 8	72 × 8 ÷ 4 = 144

문제를 읽고 하나의 식을 만들어 답을 구하세요.

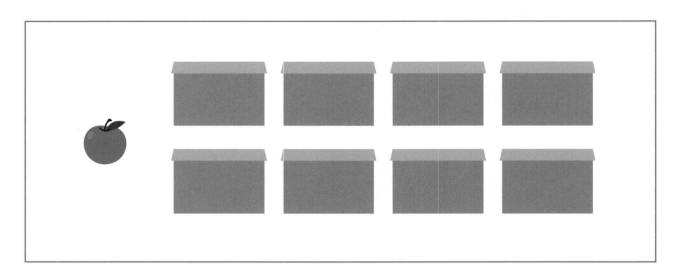

① 과수원에서 사과 128개를 따서 가로 2줄, 세로 4줄로 놓인 상자에 똑같이 담으려면 한 상자에 넣어야 하는 사과는 몇 개일까요?

　　　식 : _____　　　　답 : _____ 개

② 사과 128개를 가로 4줄, 세로 4줄로 놓인 상자에 똑같이 담으려면 한 상자에 넣어야 하는 사과는 몇 개일까요?

　　　식 : _____　　　　답 : _____ 개

③ 한 상자에 사과가 40개씩 6상자가 있습니다. 모든 사과를 다시 5상자에 똑같이 나누어 담으려면 한 상자에 넣어야 하는 사과는 몇 개일까요?

　　　식 : _____　　　　답 : _____ 개

💡 문제를 읽고 하나의 식을 만들어 답을 구하세요.

① 버스에 25명의 사람이 타고 있습니다. 한 정류장에서 7명의 사람이 타고, 11명이 내렸습니다. 정류장을 출발하는 순간 버스에 타고 있는 사람은 몇 명일까요?

식 : _____ 답 : _____ 명

② 냉장고에 귤 23개가 있었는데 형이 7개, 동생이 9개를 먹었습니다. 냉장고에 남은 귤은 몇 개일까요?

식 : _____ 답 : _____ 개

③ 27명의 학생이 3명씩 짝을 지어 보트를 탔고, 각 보트에 노가 2개씩 있습니다. 학생들이 탄 보트의 노는 모두 몇 개일까요?

식 : _____ 답 : _____ 개

④ 6개씩 12줄로 놓여 있는 의자를 9줄로 바꾸어 놓으려면 한 줄에 의자를 몇 개씩 놓아야 할까요?

식 : _____ 답 : _____ 개

문제를 읽고 하나의 식을 만들어 답을 구하세요.

① 90명의 학생이 한 대에 30명씩 버스에 나누어 타려고 합니다. 버스 한 대에 음료수를 2상자씩 주려면 준비해야 할 음료수는 몇 상자일까요?

식 : _____ 답 : _____ 상자

② 연필 6타를 4명에게 똑같이 나누어 주려고 합니다. 한 사람이 가지게 되는 연필은 몇 자루일까요?

식 : _____ 답 : _____ 자루

③ 배 농장에서 배를 160개 수확해서 가로 5줄, 세로 4줄로 놓인 상자에 똑같이 나누어 담으려고 합니다. 한 상자에 들어갈 배는 몇 개일까요?

식 : _____ 답 : _____ 개

④ 소연이는 생일 파티에 초대한 친구들에게 줄 선물을 9개 준비했습니다. 초대한 친구들은 8명이었는데 그 중 3명이 일이 있어 오지 못했습니다. 생일 파티가 끝나고 남은 선물은 몇 개일까요?

식 : _____ 답 : _____ 개

· 2주차 ·
덧셈, 뺄셈과 곱셈 또는 나눗셈

덧셈, 뺄셈과 곱셈이 있거나 덧셈, 뺄셈과 나눗셈이 있는 식의 계산을 공부합니다. 덧셈과 뺄셈보다 곱셈과 나눗셈을 먼저 계산해야 한다는 사실을 배우고 충분히 연습하도록 했습니다. 이 식에 소괄호 1개가 포함된 경우도 함께 공부합니다.

덧셈, 뺄셈과 곱셈

❓ □에 알맞은 수를 써넣으세요.

$43 + 8 \times 3$ ➡ $43 + 8 + 8 + 8 = 43 + 24 = 67$

$43 + 8 \times 3$ ➤✕➤ $51 \times 3 = 153$

> 덧셈, 뺄셈과 곱셈이 섞여 있는 식에서는 곱셈을 먼저 계산합니다.

$69 + 6 \times 12 = 69 + \boxed{72}$ ①

$= \boxed{141}$ ②

① $38 + 4 \times 16 = 38 + \boxed{}$

$= \boxed{}$

② $8 \times 7 - 17 = \boxed{} - 17$

$= \boxed{}$

③ $123 - 7 \times 13 = 123 - \boxed{}$

$= \boxed{}$

④ $4 \times 3 + 5 \times 10 = \boxed{} + \boxed{}$

$= \boxed{}$

⑤ $4 + 11 \times 6 - 35 = 4 + \boxed{} - 35$

$= \boxed{} - 35$

$= \boxed{}$

선을 그려 계산 순서를 나타내고 계산을 하세요.

$55 + 6 \times 3 = 73$

① $7 \times 5 - 28 =$

② $2 + 16 \times 2 =$

③ $5 \times 13 - 4 \times 11 =$

④ $12 \times 8 + 9 \times 6 =$

⑤ $93 - 5 \times 13 + 11 =$

⑥ $14 \times 2 - 2 \times 4 =$

⑦ $6 + 5 \times 13 - 11 =$

계산을 하세요.

① $16 + 7 \times 9 =$

② $6 \times 7 + 3 \times 10 =$

③ $95 - 3 \times 23 =$

④ $51 - 3 \times 9 + 14 =$

⑤ $130 + 5 \times 8 =$

⑥ $9 \times 11 - 4 \times 12 =$

⑦ $35 \times 3 + 5 =$

⑧ $5 \times 8 - 2 \times 7 =$

⑨ $400 - 5 \times 53 =$

⑩ $1 + 16 \times 3 - 23 =$

⑪ $45 + 3 \times 15 =$

⑫ $6 \times 9 + 4 \times 8 =$

덧셈, 뺄셈과 나눗셈

□에 알맞은 수를 써넣으세요.

$48 - 12 ÷ 4$ ⟶ $48 - 3 = 45$

$48 - 12 ÷ 4$ ⤫ $36 ÷ 4 = 9$

덧셈, 뺄셈과 나눗셈이 섞여 있는 식에서는 나눗셈을 먼저 계산합니다.

$69 + 78 ÷ 6 = 69 +$ ⎡ 13 ⎤ ①
    ① $=$ ⎡ 82 ⎤ ②
  ②

① $55 - 32 ÷ 2 = 55 -$ ⎡　⎤
    $=$ ⎡　⎤

② $54 ÷ 9 - 3 =$ ⎡　⎤ $- 3$
    $=$ ⎡　⎤

③ $48 + 91 ÷ 13 = 48 +$ ⎡　⎤
    $=$ ⎡　⎤

④ $15 - 48 ÷ 12 + 3 = 15 -$ ⎡　⎤ $+ 3$
    $=$ ⎡　⎤ $+ 3$
    $=$ ⎡　⎤

⑤ $44 ÷ 11 + 36 ÷ 4 =$ ⎡　⎤ $+$ ⎡　⎤
    $=$ ⎡　⎤

 선을 그려 계산 순서를 나타내고 계산을 하세요.

$55 + 6 \div 3 = 57$

① $36 - 75 \div 5 =$

② $41 + 46 \div 2 - 27 =$

③ $65 \div 13 + 44 \div 11 =$

④ $96 \div 6 - 72 \div 8 =$

⑤ $68 - 54 \div 3 + 16 =$

⑥ $24 \div 6 + 32 \div 4 =$

⑦ $102 \div 6 - 28 \div 7 =$

🐛 계산을 하세요.

① 29 + 93 ÷ 3 =

② 26 − 39 ÷ 3 + 10 =

③ 8 − 15 ÷ 3 =

④ 18 ÷ 2 + 28 ÷ 7 =

⑤ 54 + 81 ÷ 3 =

⑥ 84 ÷ 21 + 20 ÷ 5 =

⑦ 120 ÷ 24 − 1 =

⑧ 35 − 49 ÷ 7 + 23 =

⑨ 15 − 8 ÷ 1 =

⑩ 112 ÷ 4 + 24 ÷ 8 =

⑪ 105 ÷ 15 + 18 =

⑫ 35 ÷ 5 + 72 ÷ 2 =

🎯 □에 알맞은 수를 써넣어 식을 계산하세요.

( )가 있는 식은 ( ) 안을 먼저 계산합니다.

$$5 + 4 \times 6 = \boxed{29}$$
$$\boxed{24}$$
$$\boxed{29}$$

$$(5 + 4) \times 6 = \boxed{54}$$
$$\boxed{9}$$
$$\boxed{54}$$

두 식을 비교해 보면 ( )가 있을 때와 없을 때 계산 순서가 달라서 계산 결과가 다릅니다.

---

① $48 \div (16 \div 4) = \boxed{}$

② $121 \div (5 + 6) = \boxed{}$

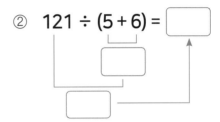

③ $(2 + 4) \times 9 + 9 = \boxed{}$

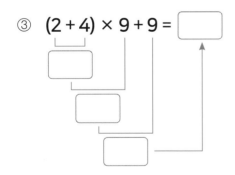

④ $16 + (41 + 31) \div 24 = \boxed{}$

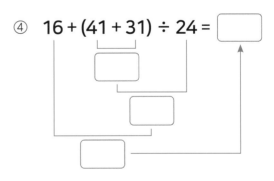

⑤ $6 \times (3 + 7) - 45 = \boxed{}$

⑥ $(26 + 49) \div 25 + 19 = \boxed{}$

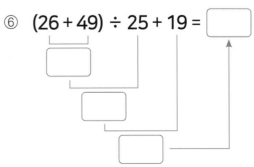

□에 알맞은 수를 써넣어 식을 계산하세요.

( )가 있는 식에서 ( ) 안에 연산 기호가 여러 개 있을 때는 ( ) 안의 식에서 곱셈 또는 나눗셈을 덧셈, 뺄셈보다 먼저 계산합니다.

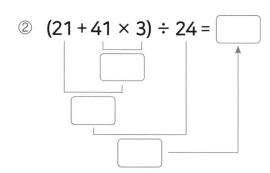

① (12 + 8 ÷ 2) + 32 = ☐

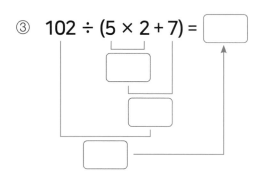

② (21 + 41 × 3) ÷ 24 = ☐

③ 102 ÷ (5 × 2 + 7) = ☐

④ 49 − (27 × 2 − 32) × 2 = ☐

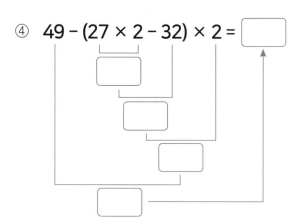

선을 그려 계산 순서를 나타내고 계산을 하세요.

$(18 - 12) \times 8 - 11 = 37$

① $91 \div (16 - 3) =$

② $(25 - 9) \times 9 =$

③ $(18 + 17) \div 5 =$

④ $47 - (5 \times 9 - 4) =$

⑤ $90 \div (2 + 4 \times 2) =$

⑥ $29 - (3 + 4) \times 4 =$

⑦ $(35 \div 7 + 22) \div 3 =$

計 계산을 하세요.

① (14 + 13) ÷ 9 =

② 12 × (5 + 6) =

③ 84 ÷ (36 − 29) =

④ 36 ÷ (7 + 11) =

⑤ 69 ÷ (19 + 6 − 2) =

⑥ (63 − 49 − 5) × 13 =

⑦ (6 + 5 × 30) − 19 =

⑧ 16 + 7 × (8 + 4) =

⑨ 65 − (38 + 74) ÷ 4 =

⑩ 40 ÷ (14 − 8 + 4) =

⑪ 16 + (32 − 27) × 13 =

⑫ 5 × (3 × 5 + 3) =

🍎 □에 계산 결과가 가장 큰 것부터 순서대로 4개의 글자를 써넣으세요.

①
산	$15 \times 8 - 42$	놀	$45 + 6 \times 12$
어	$88 - 2 \times 6$	날	$68 + 36 \div 6$
이	$96 - 15 \div 5$	동	$47 + 5 \times 9$

②
식	$11 \times 9 - 76$	시	$13 + 3 \times 7$
학	$45 \div 9 + 31$	소	$79 - 5 \times 11$
간	$5 + 4 \times 7$	수	$26 + 28 \div 2$

③
극	$45 + 3 \times 15$	란	$122 \div 2 + 4$
탐	$152 - 3 \times 24$	남	$98 - 12 \div 6$
구	$88 \div 4 + 41$	험	$11 \times 11 - 54$

수의 크기를 비교하여 >, < 또는 =를 알맞게 써넣으세요.

① $3 \times (8 + 22)$ ◯ 88

② $88 \div (100 - 78)$ ◯ 6

③ $(27 - 9) \div 2$ ◯ 8

④ $8 \times (11 + 39) - 250$ ◯ 200

⑤ $100 \div (6 + 14) + 37$ ◯ 42

⑥ $47 + (23 - 8) \div 5$ ◯ 50

⑦ $2 \times 84 - 5 \times 2$ ◯ 160

⑧ $64 + 72 \div (25 - 16)$ ◯ 70

⑨ $56 \div (25 - 11) + 85$ ◯ 90

⑩ $3 \times (90 - 12 \times 7)$ ◯ 17

🔑 상황에 알맞은 식을 골라 계산하세요.

① 600원짜리 공책 12권을 사고 10000 원을 낼 때 거스름돈

$600 \times 12 - 10000 =$

$10000 - 600 \times 12 =$

$(10000 - 600) \times 12 =$

② 배를 8개씩 16상자에 포장하려고 하 는데 배가 3개 부족할 때 배의 개수

$8 \times 16 + 3 =$

$8 \times (16 - 3) =$

$8 \times 16 - 3 =$

③ 40개의 딸기를 4명이 7개씩 먹고 다 른 1명이 3개를 먹었을 때 남은 딸기 의 개수

$40 - 4 \times 7 + 3 =$

$40 - (4 - 1) \times 8 =$

$40 - (4 \times 7 + 3) =$

④ 1000 mL의 물에서 500 mL를 들어 내고 4개의 컵에 똑같이 담았을 때 한 컵에 담긴 물의 양

$(1000 - 500) \div 4 =$

$1000 - 500 \div 4 =$

$1000 \div 4 - 500 =$

⑤ 53개의 토마토를 23명이 2개씩 먹었 을 때 남은 토마토의 개수

$23 \times 2 - 53 =$

$53 - 23 \times 2 =$

$(53 - 23) \div 2 =$

⑥ 30자루의 연필을 6개의 필통 중 절반 에 똑같이 나누어 꽂을 때 필통 한 개에 있는 연필의 개수

$30 \div 6 \div 2 =$

$30 \div (6 \div 2) =$

$30 \div 6 =$

상황에 알맞은 식을 골라 계산하세요.

① 8개의 봉지에 사과 4개씩을 넣고 2개가 남았을 때 전체 사과의 개수

8 × 4 + 2 =

8 × (4 − 2) =

8 × 4 − 2 =

② 700원짜리 공책 5권과 300원짜리 연필 3자루를 샀을 때 내야 하는 금액

700 × 5 + 300 × 3 =

700 ÷ 5 + 300 ÷ 3 =

(700 × 5 + 300) × 3 =

③ 40개의 사탕 중 8개를 먹은 후 남은 사탕을 2명이 나누어 가질 때 한 사람이 갖는 사탕의 개수

40 − 8 ÷ 2 =

(40 − 8) ÷ 2 =

40 ÷ 2 − 8 =

④ 나는 11살이고, 이모의 나이는 내 나이에 2를 뺀 수의 3배보다 4가 클 때 이모의 나이

11 + (11 − 2) × 3 + 4 =

(11 − 2) × 3 + 4 =

(11 − 2 + 4) × 3 =

⑤ 구슬을 8개의 상자에 4개씩 담을 때와 10개의 상자에 2개씩 담을 때 개수의 차

8 × 4 − 10 × 2 =

10 ÷ 2 − 8 ÷ 4 =

8 × 10 − 4 × 2 =

⑥ 5000원으로 3개에 900원인 지우개 1개와 600원짜리 공책 1권을 사고 남은 돈

5000 − 3 × 900 + 600 =

5000 − (3 × 900 + 600) =

5000 − (900 ÷ 3 + 600) =

식을 세우고 계산하세요.

① 4를 4배 한 수와 5를 3배 한 수의 차

식 : _____   답 : _____

② 30에서 12와 7의 차의 3배를 뺀 수

식 : _____   답 : _____

③ 17에서 12를 5와 2의 차로 나눈 수를 뺀 수

식 : _____   답 : _____

④ 6과 4를 곱한 수와 6과 4의 합의 차

식 : _____   답 : _____

⑤ 4의 7배보다 5 큰 수를 3으로 나눈 몫

식 : _____   답 : _____

• **3**주차 •

도전! 계산왕

혼합 계산 1

💡 계산을 하세요.

① $33 + 35 \div 7 =$

② $41 - (16 + 19) =$

③ $144 \div (6 \times 6) =$

④ $18 - 24 \div 6 =$

⑤ $(8 - 1) \times 8 =$

⑥ $36 \div (36 \div 4) =$

⑦ $5 \times (60 \div 15) =$

⑧ $11 \times (29 - 18) =$

⑨ $240 \div (15 + 15) =$

⑩ $(4 + 8) \times 5 =$

⑪ $65 - (7 \times 2) =$

⑫ $10 \times (20 + 19) =$

혼합 계산 1

🎈 계산을 하세요.

① $9 \div (18 \div 6) =$

② $93 - 9 \times 9 =$

③ $(283 - 19) \div 12 =$

④ $13 + 54 \div 9 =$

⑤ $(129 + 18) \div 7 =$

⑥ $80 - (18 - 16) =$

⑦ $(92 + 144 \div 9) \div 12 =$

⑧ $48 \div (4 \times 4) + 10 =$

⑨ $9 \times (60 \div 15 + 10) =$

⑩ $36 - (72 \div 8 + 7) =$

⑪ $78 \div (10 + 14 - 11) =$

⑫ $(10 - 4) \times 8 - 34 =$

혼합 계산 1

🔎 계산을 하세요.

① $12 \times (12 + 21) =$

② $(8 + 7) \times 3 =$

③ $(134 + 26) \div 8 =$

④ $16 - 18 \div 6 =$

⑤ $18 \div (24 \div 4) =$

⑥ $40 + (29 - 27) =$

⑦ $140 - (19 + 11 \times 8) =$

⑧ $45 \div (2 + 20 - 13) =$

⑨ $6 + 90 \div (7 + 3) =$

⑩ $100 \div (10 + 20 \div 2) =$

⑪ $7 \times (152 \div 19 + 6) =$

⑫ $64 - (3 \times 4 - 8) =$

혼합 계산 1

공부한 날 월 일
점수 / 12

계산을 하세요.

① 200 ÷ (6 + 19) =

② 65 − (10 + 18) =

③ 21 ÷ (18 ÷ 6) =

④ 189 ÷ (3 × 9) =

⑤ 30 ÷ (33 − 18) =

⑥ 38 − (47 − 27) =

⑦ 75 − (7 × 6 − 41) =

⑧ (16 − 6) × 7 − 42 =

⑨ 33 − (36 ÷ 9 + 17) =

⑩ 12 × (30 − 9 + 3) =

⑪ 240 ÷ (5 × 6) + 3 =

⑫ 99 − (13 + 10 × 6) =

혼합 계산 1

 계산을 하세요.

① $21 ÷ (21 - 18) =$

② $16 ÷ (4 ÷ 2) =$

③ $(11 - 1) × 7 =$

④ $(1 + 8) × 9 =$

⑤ $91 - 3 × 7 =$

⑥ $69 - (19 + 18) =$

⑦ $36 - (8 × 5 - 15) =$

⑧ $(36 + 64 ÷ 8) ÷ 4 =$

⑨ $45 - (6 ÷ 2 + 18) =$

⑩ $2 + 135 ÷ (9 + 6) =$

⑪ $66 - (5 + 10 × 3) =$

⑫ $3 × (29 - 11 + 4) =$

혼합 계산 1

계산을 하세요.

① $47 - (12 + 24) =$

② $45 - 7 \times 2 =$

③ $8 \times (32 - 8) =$

④ $(85 + 23) \div 6 =$

⑤ $17 + 6 \div 3 =$

⑥ $50 \div (30 \div 6) =$

⑦ $120 \div (10 \times 2) + 5 =$

⑧ $5 \times (39 - 11 + 4) =$

⑨ $20 \div (2 + 4 \div 2) =$

⑩ $108 - (10 + 14 \times 4) =$

⑪ $60 \div (13 + 19 - 17) =$

⑫ $6 \times (39 \div 13 + 2) =$

혼합 계산 1

💡 계산을 하세요.

① $100 - 7 \times 9 =$

② $(71 - 11) \div 6 =$

③ $7 \times (6 + 26) =$

④ $150 \div (5 \times 5) =$

⑤ $(19 - 11) \times 7 =$

⑥ $54 \div (39 - 12) =$

⑦ $42 - (14 \div 7 + 16) =$

⑧ $(93 + 75 \div 5) \div 9 =$

⑨ $240 \div (6 \times 5) + 10 =$

⑩ $6 \times (45 \div 15 + 10) =$

⑪ $3 + 77 \div (5 + 6) =$

⑫ $24 \div (3 + 30 \div 6) =$

4일 ②

혼합 계산1

🎯 계산을 하세요.

① $12 \times (14 + 16) =$

② $80 \div (27 - 17) =$

③ $15 + (47 - 13) =$

④ $(43 + 21) \div 4 =$

⑤ $66 - (21 - 6) =$

⑥ $31 + 45 \div 9 =$

⑦ $180 \div (11 + 12 - 3) =$

⑧ $96 \div (4 \times 6) + 9 =$

⑨ $7 \times (90 \div 10 + 6) =$

⑩ $(13 - 11) \times 9 - 9 =$

⑪ $26 + 88 \div (5 + 6) =$

⑫ $136 - (8 + 15 \times 6) =$

혼합 계산 1

💡 계산을 하세요.

① $37 + (10 - 4) =$

② $4 \times (26 - 18) =$

③ $24 \div (54 \div 9) =$

④ $9 \times (6 + 29) =$

⑤ $2 \times (18 \div 3) =$

⑥ $800 \div (10 \times 8) =$

⑦ $200 \div (4 \times 5) + 14 =$

⑧ $7 + 90 \div (4 + 5) =$

⑨ $43 - (90 \div 10 + 7) =$

⑩ $35 - (7 \times 2 - 10) =$

⑪ $7 \times (27 - 11 + 2) =$

⑫ $78 \div (7 + 24 \div 4) =$

혼합 계산 1

계산을 하세요.

① $58 - (41 - 4) =$

② $31 + 2 \times 9 =$

③ $11 \times (10 + 29) =$

④ $20 - 12 \div 2 =$

⑤ $(329 - 10) \div 11 =$

⑥ $33 \div (25 - 14) =$

⑦ $37 + 48 \div (3 + 3) =$

⑧ $(20 - 5) \times 5 - 59 =$

⑨ $48 - (40 \div 5 + 14) =$

⑩ $63 - (4 \times 6 - 18) =$

⑪ $5 \times (30 - 2 + 6) =$

⑫ $126 \div (6 + 15 - 7) =$

• **4**주차 •
사칙 연산 혼합 계산

사칙 연산이 함께 나오는 혼합 계산을 공부합니다. 복잡해서 많이 틀리는 부분인만큼 집중해서 연습하도록 지도해 주세요.

사칙 연산의 계산 순서

😮 계산 순서에 따라 □에 알맞은 수를 써넣으세요.

$$12 \times 15 - 24 \div 6 + 1 = \boxed{177}$$

180   4

176

177

① $6 + 56 \div 8 \times 3 - 24 = \boxed{}$

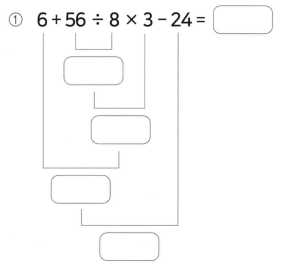

② $16 + 27 - 25 \div 5 - 1 = \boxed{}$

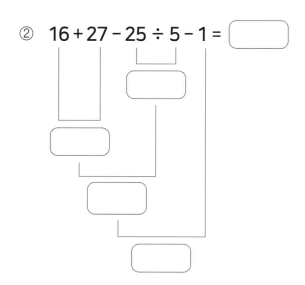

③ $9 \times 17 - 108 \div 9 \times 12 = \boxed{}$

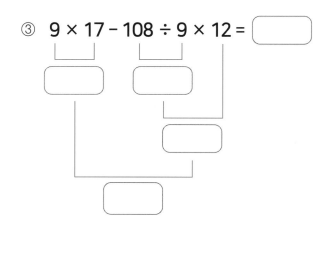

Tip 덧셈, 뺄셈, 곱셈, 나눗셈이 섞여 있는 식은 먼저 곱셈, 나눗셈을 차례로 계산한 후 나머지 덧셈과 뺄셈을 차례로 계산합니다.

선을 그려 계산 순서를 나타내고 계산을 하세요.

$$53 + 45 ÷ 15 - 2 × 21 = 14$$

① $6 × 9 ÷ 3 + 16 - 9 =$

② $98 - 88 ÷ 22 × 15 + 4 =$

③ $25 × 4 ÷ 2 - 6 × 5 =$

④ $36 + 74 - 76 ÷ 4 + 23 =$

⑤ $243 × 3 - 4 + 12 ÷ 2 =$

⑥ $16 × 20 - 55 ÷ 11 + 49 =$

⑦ $8 × 25 + 12 × 16 ÷ 4 =$

계산을 하세요.

① $6 \times 4 - 12 + 49 \div 7 =$

② $23 - 15 \times 6 \div 10 + 35 =$

③ $450 \div 90 \times 8 + 11 - 7 =$

④ $51 - 20 + 96 \div 4 \times 2 =$

⑤ $91 \div 7 - 3 \times 4 + 128 =$

⑥ $5 \times 11 \times 3 + 50 \div 10 =$

⑦ $43 - 36 \div 12 + 14 \times 5 =$

⑧ $125 \div 25 + 18 \div 2 - 11 =$

⑨ $6 \times 8 \div 4 - 7 + 8 =$

⑩ $7 + 11 \times 8 \div 4 - 16 =$

⑪ $77 + 120 \div 5 - 7 \times 5 =$

⑫ $6 \times 16 - 36 + 7 \times 7 =$

사칙 연산 혼합 계산 연습

공부한날 　월　　일

선을 그려 계산 순서를 나타내고 계산을 하세요.

① 32 ÷ 4 + 6 × 4 =

② 91 ÷ 7 × 4 − 13 =

③ 22 − 12 × 6 ÷ 18 =

④ 7 × 6 − 38 ÷ 2 =

⑤ 40 − 4 × 6 + 20 ÷ 4 =

⑥ 4 × 4 − 8 + 99 ÷ 9 =

⑦ 45 ÷ 9 + 6 × 12 − 70 =

⑧ 25 + 6 − 50 ÷ 10 × 2 =

선을 그려 계산 순서를 나타내고 계산을 하세요.

① $14 \times 6 \div 4 - 20 =$

② $1000 \div 200 \times 7 - 17 =$

③ $44 \div 4 + 6 \times 3 =$

④ $3 \times 9 - 96 \div 12 =$

⑤ $39 + 18 - 45 \div 9 \times 4 =$

⑥ $4 \times 3 - 8 + 121 \div 11 =$

⑦ $20 \div 2 + 8 \times 2 - 10 =$

⑧ $5 \times 6 + 12 \div 4 - 20 =$

🐛 계산을 하세요.

① $10 \times 4 + 10 \div 2 =$

② $36 \div 3 + 4 \times 2 =$

③ $30 + 11 \times 30 \div 6 =$

④ $41 - 90 \div 10 \times 3 =$

⑤ $36 \div 3 - 4 \times 2 =$

⑥ $20 \times 4 - 16 \div 2 =$

⑦ $4 \times 2 + 44 \div 4 \times 2 =$

⑧ $64 \div 8 + 21 - 3 \times 8 =$

⑨ $36 \div 4 + 4 \times 2 - 8 =$

⑩ $4 \times 3 - 11 + 24 \div 2 =$

⑪ $38 - 3 \times 9 + 42 \div 7 =$

⑫ $54 + 10 - 24 \div 4 \times 7 =$

🔍 □에 알맞은 수를 써넣어 식을 계산하세요.

$$3 \times (15 + 13) \div 2 = 3 \times \boxed{① \ 28} \div 2$$

① 28

② 84

③ 42

$$= \boxed{② \ 84} \div 2$$

$$= \boxed{③ \ 42}$$

( )가 있으면 ( ) 안을 가장 먼저 계산합니다.

$$15 + (17 - 14) \times 7 = \boxed{36}$$

3

21

36

① $3 \times (45 + 5) \div 2 = \boxed{}$

② $105 \div (3 \times 5) = \boxed{}$

③ $13 \times (10 + 44 \div 22) = \boxed{}$

선을 그려 계산 순서를 나타내고 계산을 하세요.

$$84 \div 7 \times (37 - 29) = 96$$

① $2 \times 98 \div (8 + 6) =$

② $6 \times (49 - 25) \div 12 =$

③ $3 \times 32 \div (17 - 9) =$

④ $(184 - 25 \times 4) \div 12 =$

⑤ $5 \times (15 \div 3) + 20 =$

⑥ $5 \times (15 + 16 \div 4) =$

⑦ $105 \div (21 - 14) \times 5 =$

계산을 하세요.

① $24 \div 3 \times (68 - 59) =$

② $80 \div (8 + 8) \times 15 =$

③ $5 \times (23 + 7) \div 3 =$

④ $9 \times 12 \div (12 - 6) =$

⑤ $2 \times (35 + 28) \div 6 =$

⑥ $36 \div (7 + 11) \times 56 =$

⑦ $35 - 6 \div (3 \times 2) =$

⑧ $13 \times 9 \div (25 + 14) =$

⑨ $(11 - 15 \div 3) \times 9 =$

⑩ $60 \div (17 - 4 \times 3) =$

⑪ $98 - (11 \times 10 - 20) \div 2 =$

⑫ $90 \div (3 \times 4 - 6) + 36 =$

4 일

연산 퍼즐

공부한날 월 일

계산 결과를 찾아 선으로 이으세요.

$79 + 90 \div 3 - 11 \times 2$ •

$30 \times 20 - 450 \div 9 + 8$ •

$98 - 35 \div 5 \times 12 + 56$ •

$8 \times 9 \div 4 - 5 + 11$ •

• 70

• 87

• 96

• 558

• 24

$45 + 9 \div 3 \times 15 - 6$ •

$720 \div 80 - 8 + 13 \times 2$ •

$41 - 7 + 60 \div 5 \times 4$ •

$24 \div 3 - 8 + 55 \times 3$ •

• 121

• 27

• 165

• 84

• 82

 □에 세 계산식의 값 중 가장 큰 값을 써넣으세요.

①

$$96 \div 8 + 4 \times 2$$

$$96 \div (8 + 4) \times 2$$

$$(96 \div 8 + 4) \times 2$$

②

$$12 \times 4 + 6 \div 2$$

$$12 \times (4 + 6) \div 2$$

$$(12 \times 4 + 6) \div 2$$

③

$$48 \div 4 \times 2 - 1$$

$$48 \div (4 \times 2) - 1$$

$$48 \div 4 \times (2 - 1)$$

④

$$72 \div 9 \times 2 + 2$$

$$72 \div (9 \times 2) + 2$$

$$72 \div 9 \times (2 + 2)$$

( )가 있는 식이 성립하도록 □에 +, −, ×, ÷를 알맞게 써넣으세요.

2 ×（4 − 2）+ 2 = 6

① 1 ⬚ 2 ⬚（5 ⬚ 1）= 9

② 2 ⬚（9 ⬚ 3）⬚ 2 = 5

③（4 ⬚ 4）⬚ 2 ⬚ 1 = 3

④ 4 ⬚（3 ⬚ 6）⬚ 6 = 6

⑤ 4 ⬚ 3 ⬚（2 ⬚ 2）= 4

상황에 알맞은 식을 골라 계산하세요.

① 4마리에 10000원인 전복을 60000원어치 사고 2마리를 더 받았을 때 전복의 수

60000 ÷ 10000 × 4 + 2 =

60000 − 4 × 10000 + 2 =

60000 − (4 × 2) × 10000 =

② 2000원으로 300원짜리 연필 2자루와 3개에 1200원인 가위를 1개 샀을 때 남은 돈

2000 − 300 × 2 − 1200 =

2000 − (300 × 2 + 1200 ÷ 3) =

2000 − 300 × 2 − 1200 × 3 =

③ 한 상자에 10개씩 들어 있는 과자 7상자를 형과 똑같이 나누고 동생이 7개를 먹었을 때 동생에게 남은 과자의 개수

10 × 7 − 7 =

10 × 7 × 2 − 7 =

10 × 7 ÷ 2 − 7 =

④ 6명씩 3줄로 있는 운동장에 4명이 더 와서 2팀으로 나누어 야구를 했을 때 한 팀에 있는 사람의 수

6 × 3 + 4 ÷ 2 =

(6 × 3 + 4) ÷ 2 =

(6 × 3 − 4) ÷ 2 =

⑤ 4개에 1000원인 껌을 5개 사고 2000원을 냈을 때 거스름돈

4 × 1000 × 5 − 2000 =

2000 − 1000 ÷ 4 × 5 =

2000 − 1000 ÷ (4 × 5) =

⑥ 한 봉지에 15개씩 들어 있는 사탕 6봉지를 3명이 똑같이 나누고 한 사람이 4개를 먹었을 때 먹은 사람에게 남은 사탕의 개수

6 × 15 ÷ 3 − 4 =

6 × 15 × 3 − 4 =

6 × 15 − 3 − 4 =

🎑 식을 세우고 계산하세요.

① 54에서 4와 6의 곱을 더하고 15를 뺀 수

식 : _____ 답 : _____

② 8과 9의 곱에서 3을 빼고 19를 더한 수

식 : _____ 답 : _____

③ 4와 15의 곱을 10으로 나눈 수에 9를 더한 수

식 : _____ 답 : _____

④ 11과 8의 차에서 6을 곱하고 15를 뺀 수

식 : _____ 답 : _____

⑤ 15보다 6 작은 수를 3으로 나눈 몫을 12배 한 수

식 : _____ 답 : _____

식을 세우고 계산하세요.

① 14와 6의 합에서 12를 뺀 수를 4배하고 2를 더한 수

식 : _____ 답 : _____

② 11과 9의 합을 5로 나눈 수에 12를 곱한 수

식 : _____ 답 : _____

③ 150에서 7과 3의 차에 16을 곱한 수를 뺀 수

식 : _____ 답 : _____

④ 21에서 25를 5로 나눈 수를 뺀 다음 2를 곱한 수

식 : _____ 답 : _____

⑤ 6에 91을 7로 나눈 몫과 3을 더한 수를 곱한 수

식 : _____ 답 : _____

• **5**주차 •
괄호가 있는 혼합 계산

괄호가 여러 개 있는 식의 사칙 연산을 공부합니다. ( ) → { } → 곱셈과 나눗셈 → 덧셈과 뺄셈 순으로 계산하고 같은 순서에 있는 계산은 앞에서부터 차례로 합니다. 계산 순서를 정확하게 아는 것이 중요합니다.

두 개의 소괄호

🔑 계산 순서에 따라 □에 알맞은 수를 써넣으세요.

$$24 + (12 + 8) \times (23 - 17) = \boxed{144}$$

$\boxed{20}$　$\boxed{6}$

$\boxed{120}$

$\boxed{144}$

( )가 여러 개 있는 경우 차례대로 ( ) 안을 먼저 계산한 다음 앞에서부터 곱셈과 나눗셈, 덧셈과 뺄셈 순으로 계산합니다.

① $(15 - 4) \times (11 + 9) = \boxed{}$

② $(30 + 15) \div (16 - 13) = \boxed{}$

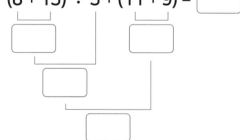

③ $(8 + 13) \div 3 + (11 + 9) = \boxed{}$

④ $(35 + 15) \times (44 - 36) - 34 = \boxed{}$

계산 순서에 따라 ☐에 알맞은 수를 써넣으세요.

① (13 − 8) × (12 − 4) = ☐

② (103 − 40) ÷ (16 − 9) = ☐

③ (3 + 2) × (9 + 14) = ☐

④ (104 + 40) ÷ (9 + 7) = ☐

⑤ (2 + 3) × (7 − 35 ÷ 7) = ☐

⑥ (3 + 8 × 13) − (3 + 8) = ☐

계산을 하세요.

① $(7 - 3) \times (17 - 2) =$

② $(51 + 9) \div (4 + 6) =$

③ $(10 + 9) \times (6 + 3) =$

④ $(22 - 4) \div (6 - 4) =$

⑤ $(8 + 4) \times (12 - 3) =$

⑥ $(153 - 25) \div (4 \times 8) =$

⑦ $(7 + 3 \times 6) \div (65 \div 13) =$

⑧ $54 \div (5 + 4) \times (41 - 34) =$

⑨ $(5 - 3) \times (18 - 8) \div 4 =$

⑩ $(51 - 49 \div 7) + (26 - 14) =$

⑪ $(10 + 2 \times 7) \div (36 \div 12) =$

⑫ $(117 + 3) \div (10 + 10) + 14 =$

소괄호와 중괄호

🐌 계산 순서에 따라 ☐에 알맞은 수를 써넣으세요.

동영상 해설

$$36 \div 4 - \{3 + (15 - 7) \div 2\} = \boxed{2}$$

- $\boxed{9}$
- $\boxed{8}$
- $\boxed{4}$
- $\boxed{7}$
- $\boxed{2}$

( )와 { }가 있는 경우
( ) 안을 먼저 계산한 다음
{ } 안을 계산합니다.

그다음 앞에서부터 곱셈과 나눗셈,
덧셈과 뺄셈 순으로 계산합니다.

① $39 \div \{25 \div (3 + 2) + 8\} = \boxed{}$

② $4 \times 7 - \{90 \div 5 + (8 - 2)\} = \boxed{}$

Tip
{ }를 중괄호라고 합니다. ( )를 포함하여 더 크게 묶을 경우 ( )와 구분하기 위해 사용합니다.

5주 - 괄호가 있는 혼합 계산 73

 선을 그려 계산 순서를 나타내고 계산을 하세요.

$7 \times \{54 \div (6 + 3) + 8\} = 98$

① $\{25 \times (5 - 3) + 20\} \div 10 =$

② $8 \times 3 + \{11 \times (13 - 6) - 1\} =$

③ $40 \div \{4 \times (6 + 6) - 8\} =$

④ $19 + \{4 \times (10 - 2) + 3\} =$

⑤ $180 \div \{2 \times (50 - 5) - 80\} =$

⑥ $12 \times \{22 + (18 - 2) \div 2\} =$

⑦ $94 \div \{2 + 3 \times (6 + 9)\} =$

😃 계산을 하세요.

① 45 + {52 ÷ (4 + 9) − 2} =

② 2 × {10 × (5 + 5) − 55} =

③ 32 − {5 × (15 − 11) + 4} =

④ 16 ÷ {7 × (3 − 2) + 1} =

⑤ {15 × (24 ÷ 8) + 5} ÷ 5 =

⑥ {54 ÷ (7 − 1) − 3} × 6 =

⑦ 11 × 3 − {12 − (4 + 3) − 1} =

⑧ 80 ÷ {6 × (7 − 4) + 2} =

⑨ 2 × {3 × (6 + 11) − 15} =

⑩ 5 × {2 × (16 − 8) − 2} =

⑪ {136 − 5 × (53 − 33)} ÷ 6 =

⑫ 3 × {56 − 8 × (1 + 2)} =

계산 순서에 따라 □에 알맞은 수를 써넣으세요.

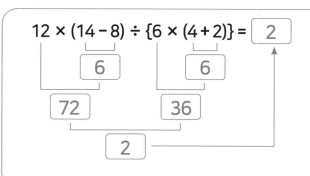

$12 \times (14 - 8) \div \{6 \times (4 + 2)\} = \boxed{2}$

( ), { }를 포함하여 괄호가 여러 개 있는 경우 앞에서부터 차례로 ( ) 안을 먼저 계산한 다음 { } 안을 계산합니다.

① $2 \times (74 - 14) \div \{2 \times (4 + 1)\} = \boxed{}$

② $35 \div \{2 + (2 + 3) \times (3 - 2)\} = \boxed{}$

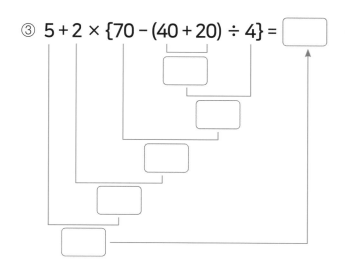

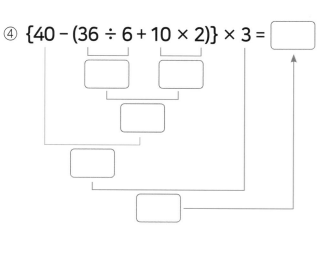

③ $5 + 2 \times \{70 - (40 + 20) \div 4\} = \boxed{}$

④ $\{40 - (36 \div 6 + 10 \times 2)\} \times 3 = \boxed{}$

선을 그려 계산 순서를 나타내고 계산을 하세요.

① $(63 - 3) \div \{5 \times (5 + 1) - 10\} =$

② $(1 + 3) \times \{12 \times (6 - 3) - 27\} =$

③ $8 \times (3 + 3) - \{16 - (5 + 3)\} =$

④ $\{(14 + 2) \div (9 - 5) - 1\} \times 2 =$

계산을 하세요.

① $(12 - 8) \times \{5 \times (3 + 1) - 3\} =$

② $(36 - 6) \div \{3 \times (7 - 4) + 1\} =$

③ $(12 + 3) \times \{(15 + 35) \div 5 - 7\} =$

④ $(59 - 37) \div \{4 \times 2 - (5 + 1)\} =$

⑤ $\{(18 + 30) \div 12 + 8\} \div (9 - 7) =$

⑥ $(55 - 31) \div \{2 \times (1 + 2) - 3\} =$

두 계산 결과의 크기를 비교하여 ◯ 안에 >, =, <를 알맞게 써넣으세요.

① $2 \times \{(7+3) \times 5 - 2\}$ $2 \times \{8 \times (4+2) - 1\}$

② $55 \div \{(15-11) \times 25 - 89\}$ $17 \times 3 - \{7 \times (14-8) + 4\}$

③ $84 \div \{9 \times (8-4) - 24\}$ $2 \times \{52 \div (6+7) + 1\}$

④ $9 \times \{81 \div (3+6) + 5\}$ $6 \times \{(15-8) \times 4 - 6\}$

⑤ $85 - \{76 + (35-14) \div 7\}$ $41 - \{25 + 120 \div (5+5)\}$

計산 결과를 찾아 선으로 이어 보세요.

$(5 + 6) \times (26 - 23) \times 6$

198

189

176

$70 \div (4 + 3) + (45 - 30) \times 2$

30

35

40

$(27 - 9) \div \{3 \times (7 - 4)\}$

2

3

4

$11 \times (15 - 7) \div \{10 \div (4 + 1)\}$

33

44

55

동영상 해설

숫자 카드의 수를 하나씩 넣어 식이 완성되도록 □에 알맞은 수를 써넣으세요.

① 100 ÷ { ◯ × (◯ + 2) + 10} = 2

3　8

② 10 × {(11 + ◯) ÷ ◯ + 3} = 70

5　9

③ ◯ ÷ {36 ÷ (7 + ◯) – 1} = 4

5　8

④ 3 × { ◯ × (11 – 6) + ◯ } = 96

5　7

⑤ ◯ × {(◯ + 8) × 5 – 8} = 124

2　6

⑥ 8 ÷ ◯ × {3 × (12 – ◯) + 3} = 72

1　4

다음과 같은 규칙으로 계산해 보세요.

$$\blacksquare \ \text{◨} \ \bullet = \bullet + (\blacksquare - \bullet) \times 2$$

6 ◨ 3 = [9]

6 ◨ 3 = 3 + (6 - 3) × 2
　　　 = 3 + 3 × 2
　　　 = 3 + 6
　　　 = 9

① 8 ◨ 5 = [　　]

② 9 ◨ 1 = [　　]

③ 7 ◨ 6 = [　　]

④ 12 ◨ 8 = [　　]

⑤ 15 ◨ 12 = [　　]

다음과 같은 규칙으로 계산해 보세요.

$$\blacksquare \ \diamondsuit \ \bullet = (\ \blacksquare - 14 \ ) \div (\ \bullet - 8 \ )$$

① 23 ◇ 11 = [   ]

② 50 ◇ 12 = [   ]

③ 77 ◇ 15 = [   ]

④ 74 ◇ 13 = [   ]

⑤ 118 ◇ 12 = [   ]

⑥ 110 ◇ 32 = [   ]

다음과 같은 규칙으로 계산해 보세요.

$$\blacksquare \; ☆ \; \bullet = \blacksquare \times \{(\blacksquare - \bullet) \div 2 - 1\}$$

① 8 ☆ 4 = ☐

② 9 ☆ 3 = ☐

③ 19 ☆ 5 = ☐

④ 14 ☆ 4 = ☐

⑤ 23 ☆ 7 = ☐

⑥ 34 ☆ 12 = ☐

• **6**주차 •

도전! 계산왕

혼합 계산 2

🐌 계산을 하세요.

① $(9 + 10 \times 10) - 32 \div 8 =$

② $(2 + 3) \times (8 + 13) =$

③ $(8 + 67) \div (9 + 6) =$

④ $6 \times 2 - 10 + 72 \div 6 =$

⑤ $(18 - 10) \times (6 - 4) =$

⑥ $35 \div 7 + 9 \times 8 - 67 =$

⑦ $15 \div 3 - (4 - 22 \div 11) =$

⑧ $49 + 3 - 45 \div 9 \times 8 =$

⑨ $28 + \{82 - (56 + 14) \div 7 \times 6\} =$

⑩ $45 - \{36 \div 2 \times (30 - 26)\} \div 9 =$

⑪ $52 - \{(16 - 12) \times 7 + 4\} =$

⑫ $85 - \{3 \times 5 + (47 + 9) \div 7\} =$

혼합 계산 2

🎵 계산을 하세요.

① $(11 - 36 \div 9) + 11 \times 3 =$

② $(100 + 10) \div (8 + 3) =$

③ $31 - 3 \times 4 + 48 \div 8 =$

④ $(20 - 14) \times (15 - 13) =$

⑤ $62 + 17 - 80 \div 10 \times 6 =$

⑥ $(118 - 6) \div (15 - 8) =$

⑦ $6 \div 3 + 10 \times 5 - 14 =$

⑧ $24 \div (8 + 4) \times 3 - 5 =$

⑨ $184 - \{11 \times (5 + 9)\} =$

⑩ $5 \times \{(23 - 7) \div 2\} + 19 =$

⑪ $22 - \{(21 - 19) \times 8 + 3\} =$

⑫ $19 + \{101 - (47 + 13) \div 6 \times 9\} =$

혼합 계산 2

계산을 하세요.

① $50 \div (7 + 3) \times 2 - 3 =$

② $(41 - 63 \div 9) + 4 \times 7 =$

③ $(108 - 30) \div (17 - 4) =$

④ $47 + 7 - 45 \div 9 \times 8 =$

⑤ $41 - 4 \times 9 + 14 \div 7 =$

⑥ $8 \times 13 + (56 - 30 \div 3) =$

⑦ $21 \div 3 + 9 \times 12 - 16 =$

⑧ $(10 + 9 \times 9) - 16 \div 4 =$

⑨ $46 + \{73 - (56 + 16) \div 8 \times 6\} =$

⑩ $26 - \{(26 - 5) \div 3 - 3\} =$

⑪ $66 - \{63 \div 7 \times (23 - 13)\} \div 3 =$

⑫ $51 - \{(27 - 20) \times 5 + 8\} =$

혼합 계산 2

🎵 계산을 하세요.

① $56 \div 8 + 5 \times 9 - 18 =$

② $(105 + 14) \div (8 + 9) =$

③ $(9 + 7 \times 2) - 15 \div 5 =$

④ $(18 - 13) \times (16 - 5) =$

⑤ $(6 + 4) \times (6 + 8) =$

⑥ $6 \times 7 - 7 + 42 \div 7 =$

⑦ $8 \times 8 + (49 - 12 \div 3) =$

⑧ $(43 - 70 \div 10) + 9 \times 11 =$

⑨ $42 \div \{6 + (27 - 23) \times 2\} =$

⑩ $45 - \{(21 - 13) \times 3 + 8\} =$

⑪ $174 - \{7 \times (16 - 9) + 20\} =$

⑫ $172 - \{12 \times (4 + 9)\} =$

혼합 계산 2

🌱 계산을 하세요.

① $31 - 6 \times 4 + 44 \div 4 =$

② $5 \times 11 - (36 - 66 \div 11) =$

③ $8 \times 2 + (12 - 40 \div 8) =$

④ $(20 - 13) \times (19 - 13) =$

⑤ $(40 - 40 \div 10) + 12 \times 9 =$

⑥ $(26 + 4) \div (4 + 11) =$

⑦ $21 \div 7 + 2 \times 9 - 20 =$

⑧ $56 + 9 - 12 \div 2 \times 7 =$

⑨ $14 - \{(24 - 10) \div 2 - 2\} =$

⑩ $64 \div \{8 + (22 - 18) \times 2\} =$

⑪ $61 - \{(13 - 9) \times 7 + 4\} =$

⑫ $38 - \{5 \times 3 + (97 + 2) \div 9\} =$

혼합 계산 2

🎈 계산을 하세요.

① $3 \times 2 + (49 - 72 \div 8) =$

② $81 \div 9 - (14 - 135 \div 15) =$

③ $(5 + 9) \times (5 + 12) =$

④ $2 \times 7 - 12 + 80 \div 8 =$

⑤ $23 + 17 - 24 \div 4 \times 2 =$

⑥ $(163 + 8) \div (10 + 9) =$

⑦ $(52 - 55 \div 11) + 9 \times 12 =$

⑧ $(6 + 7 \times 5) - 108 \div 12 =$

⑨ $25 + \{47 - (63 + 9) \div 9 \times 4\} =$

⑩ $236 - \{8 \times (27 - 17) + 13\} =$

⑪ $56 - \{(16 - 8) \times 3 + 6\} =$

⑫ $52 - \{2 \times 7 + (61 + 9) \div 7\} =$

혼합 계산 2

 계산을 하세요.

① 5 × 14 + (54 − 20 ÷ 5) =

② (6 + 4) × (9 + 10) =

③ (241 − 7) ÷ (13 − 4) =

④ (81 + 9) ÷ (5 + 5) =

⑤ 11 × 9 − (31 − 64 ÷ 8) =

⑥ 9 × 6 − 8 + 132 ÷ 11 =

⑦ 31 − 11 × 2 + 42 ÷ 6 =

⑧ 29 + 5 − 12 ÷ 4 × 4 =

⑨ 180 − {19 × (2 + 6)} =

⑩ 2 × {(37 − 19) ÷ 2} + 12 =

⑪ 129 ÷ {7 + (30 − 18) × 3} =

⑫ 21 + {40 − (31 − 10) ÷ 7} =

혼합 계산 2

💡 계산을 하세요.

① $48 \div 4 - (11 - 35 \div 7) =$

② $15 - 3 \times 4 + 60 \div 5 =$

③ $(69 - 13) \div (9 - 5) =$

④ $(11 - 9) \times (14 - 11) =$

⑤ $(10 + 8) \times (4 + 8) =$

⑥ $10 \times 11 - (21 - 35 \div 7) =$

⑦ $88 \div (7 + 4) \times 10 - 32 =$

⑧ $(3 + 5 \times 8) - 54 \div 6 =$

⑨ $4 \times \{(15 - 7) \div 2\} + 12 =$

⑩ $38 - \{3 \times (26 - 19) + 2\} =$

⑪ $133 \div \{9 + (14 - 12) \times 5\} =$

⑫ $59 - \{4 \times 4 + (77 + 3) \div 8\} =$

혼합 계산 2

공부한 날	월	일
점수		/12

💡 계산을 하세요.

① $31 + 2 - 24 \div 12 \times 8 =$

② $32 - 8 \times 3 + 60 \div 5 =$

③ $(20 - 14) \times (13 - 11) =$

④ $(69 + 6) \div (7 + 8) =$

⑤ $21 \div (4 + 3) \times 2 - 4 =$

⑥ $9 \times 4 + (29 - 9 \div 3) =$

⑦ $(3 + 2) \times (2 + 3) =$

⑧ $54 \div 6 - (14 - 70 \div 10) =$

⑨ $60 - \{72 \div 4 \times (12 - 10)\} \div 9 =$

⑩ $50 - \{(21 - 11) \div 2 - 3\} =$

⑪ $2 \times \{(50 - 2) \div 6\} + 15 =$

⑫ $20 + \{28 - (38 - 8) \div 2\} =$

5일 ❷

혼합 계산 2

🔎 계산을 하세요.

① $(102 + 6) \div (2 + 10) =$

② $(39 - 60 \div 10) + 7 \times 15 =$

③ $15 \div 5 + 9 \times 11 - 54 =$

④ $7 \times 6 - 31 + 24 \div 2 =$

⑤ $12 \times 7 - (32 - 108 \div 12) =$

⑥ $2 \times 12 + (55 - 54 \div 6) =$

⑦ $(2 + 7) \times (3 + 9) =$

⑧ $(2 + 9 \times 2) - 27 \div 9 =$

⑨ $25 + \{48 - (41 - 13) \div 7\} =$

⑩ $28 - \{(22 - 20) \times 8 + 8\} =$

⑪ $54 - \{5 \times 5 + (74 + 16) \div 9\} =$

⑫ $32 - \{(53 - 5) \div 6 - 5\} =$

우리 아이 첫 수학은
유자수 가 답이다

보드마카와
붙임 딱지로
즐겁게

내 아이에게
딱 맞는
엄마표 문제

재미있게
스스로
반복학습

방송에서 화제가 된 바로 그 교재!

생각과 자신감이 커지는 유아 자신감 수학!

방송 영상

유자수 소개 영상

실력도 탑! 재미도 탑!
사고력 수학의 으뜸!

TOP 사고력 수학

6~7세   7~8세   초1~2학년   초2~3학년

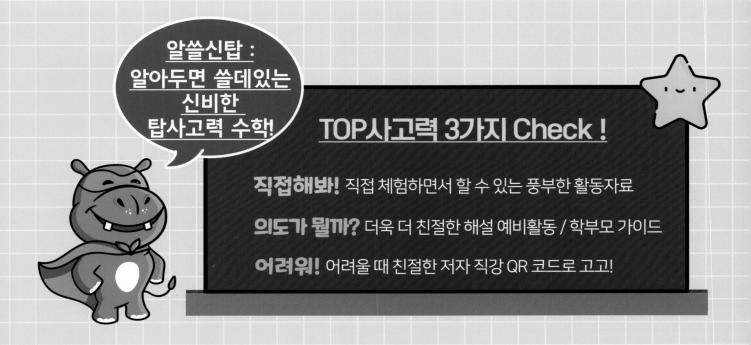

알쓸신탑 :
알아두면 쓸데있는
신비한
탑사고력 수학!

TOP사고력 3가지 Check !

직접해봐! 직접 체험하면서 할 수 있는 풍부한 활동자료

의도가 뭘까? 더욱 더 친절한 해설 예비활동 / 학부모 가이드

어려워! 어려울 때 친절한 저자 직강 QR 코드로 고고!

교과 과정
완벽 대비

초등 | 수학 전문가가
만든 연산 교재

원리셈

천종현 지음

정답

5학년 1

혼합 계산

천종현수학연구소

1주차 – 덧셈과 뺄셈, 곱셈과 나눗셈

10쪽

① 68
49

② 15
38

③ 6
13

④ 39
30

⑤ 8, 17
3

⑥ 43, 26
6

⑦ 19, 3
14

⑧ 43, 17
26

11쪽

① 72
18

② 8
56

③ 36
4

④ 4
8

⑤ 32, 16
96

⑥ 6, 24
120

⑦ 3, 18
6

⑧ 12, 3
27

12쪽

① 24

② 6

③ 30

④ 77

⑤ 13

⑥ 82

⑦ 10

⑧ 30

⑨ 24

⑩ 256

⑪ 30

⑫ 3

13쪽

① 10
13
10

② 39
25
39

③ 42
61
42

④ 73
16
73

⑤ 26
101
26

⑥ 113
42
113

14쪽

① 50
97

80
97

② 39
23

13
55

③ 40
66

61
14

④ 40
21

8
21

15쪽

① 15

② 49

③ 32

④ 78

⑤ 33

⑥ 45

⑦ 14

⑧ 22

⑨ 59

⑩ 33

⑪ 28

⑫ 1

⑬ 16

⑭ 33

16쪽

① 9
5
9

② 28
2
28

③ 5
20
5

④ 10
8
10

⑤ 6
21
6

⑥ 420
60
420

17쪽

① 21
84

12
84

② 8
4

4
16

③ 18
36

10
9

④ 60
10

2
10

18쪽

① 2

② 44

③ 36

④ 90

⑤ 2

⑥ 4

⑦ 3

⑧ 24

⑨ 10

⑩ 96

⑪ 7

⑫ 3

⑬ 3

⑭ 17

56	+	48	–	90	=	**14**
						×
54	+	7	–	9	=	**52**	3

(크로스워드 퍼즐)

56 + 48 – 90 = **14**
× 3
54 + 7 – 9 = **52**

12		10	+	4	–	2	=	**12**
×		÷		×		÷		
5	+	45	–	29	=	**21**
÷		=				÷	
10		2	+	29	–	17	=	**14**
=						=	
6						**4**	

$36 + 13 + 20 = $ **69**
$36 + (13 + 20) = $ **69**

$49 – 16 + 27 = $ **60**
$49 – (16 + 27) = $ **6**

$57 – 15 + 27 = $ **69**
$57 – (15 + 27) = $ **15**

$42 – 8 + 29 = $ **63**
$42 – (8 + 29) = $ **5**

$5 × 3 × 12 = $ **180**
$5 × (3 × 12) = $ **180**

$96 ÷ 4 ÷ 2 = $ **12**
$96 ÷ (4 ÷ 2) = $ **48**

$84 ÷ 7 × 4 = $ **48**
$84 ÷ (7 × 4) = $ **3**

$3 × 24 ÷ 8 = $ **9**
$3 × (24 ÷ 8) = $ **9**

$72 – (13 + 39) = 20$	$36 ÷ 6 ÷ 3 = 2$
$112 ÷ (8 × 7) = 2$	$61 – (33 – 16) = 44$
$120 + 32 – 87 = 65$	$6 + 75 + 26 = 107$
$26 ÷ 13 × 15 = 30$	$37 – (13 + 9) = 15$
$96 ÷ 3 ÷ 4 = 8$	$72 × 8 ÷ 4 = 144$

① $128 ÷ (2 × 4) = 16$, 16

② $128 ÷ (4 × 4) = 8$, 8

③ $40 × 6 ÷ 5 = 48$, 48

① $25 + 7 – 11 = 21$, 21

② $23 – 7 – 9 = 7$, 7

③ $27 ÷ 3 × 2 = 18$, 18

④ $6 × 12 ÷ 9 = 8$, 8

① $90 ÷ 30 × 2 = 6$, 6

② $6 × 12 ÷ 4 = 18$, 18

③ $160 ÷ (5 × 4) = 8$, 8

④ $9 – (8 – 3) = 4$, 4

2주차 – 덧셈, 뺄셈과 곱셈 또는 나눗셈

① 64
102

② 56
39

③ 91
32

④ 12, 50
62

⑤ 66
70
35

① $7 × 5 – 28 = $ **7**

② $2 + 16 × 2 = $ **34**

③ $5 × 13 – 4 × 11 = $ **21**

④ $12 × 8 + 9 × 6 = $ **150**

⑤ $93 – 5 × 13 + 11 = $ **39**

⑥ $14 × 2 – 2 × 4 = $ **20**

⑦ $6 + 5 × 13 – 11 = $ **60**

① 79　② 72

③ 26　④ 38

⑤ 170　⑥ 51

⑦ 110　⑧ 26

⑨ 135　⑩ 26

⑪ 90　⑫ 86

① 16
39

② 6
3

③ 7
55

④ 4
11
14

⑤ 4, 9
13

① $36 – 75 ÷ 5 = $ **21**

② $41 + 46 ÷ 2 – 27 = $ **37**

③ $65 ÷ 13 + 44 ÷ 11 = $ **9**

④ $96 ÷ 6 – 72 ÷ 8 = $ **7**

⑤ $68 – 54 ÷ 3 + 16 = $ **66**

⑥ $24 ÷ 6 + 32 ÷ 4 = $ **12**

⑦ $102 ÷ 6 – 28 ÷ 7 = $ **13**

① 60 ② 23
③ 3 ④ 13
⑤ 81 ⑥ 8
⑦ 4 ⑧ 51
⑨ 7 ⑩ 31
⑪ 25 ⑫ 43

① 12 ② 11
　 4 　 11
　 12 　 11
③ 63 ④ 19
　 6 　 72
　 54 　 3
　 63 　 19
⑤ 15 ⑥ 22
　 10 　 75
　 60 　 3
　 15 　 22

① 48 ② 6
　 4 　 123
　 16 　 144
　 48 　 6
③ 6 ④ 5
　 10 　 54
　 17 　 22
　 6 　 44
　　 　 5

① $91 \div (16 - 3) = 7$
② $(25 - 9) \times 9 = 144$
③ $(18 + 17) \div 5 = 7$
④ $47 - (5 \times 9 - 4) = 6$
⑤ $90 \div (2 + 4 \times 2) = 9$
⑥ $29 - (3 + 4) \times 4 = 1$
⑦ $(35 \div 7 + 22) \div 3 = 9$

① 3 ② 132
③ 12 ④ 2
⑤ 3 ⑥ 117
⑦ 137 ⑧ 100
⑨ 37 ⑩ 4
⑪ 81 ⑫ 90

① 놀 - 이 - 동 - 산
② 수 - 학 - 시 - 간
③ 남 - 극 - 탐 - 험

① > ② <
③ > ④ <
⑤ = ⑥ =
⑦ < ⑧ >
⑨ < ⑩ >

①
$600 \times 12 - 10000 =$
$10000 - 600 \times 12 = 2800$
$(10000 - 600) \times 12 =$

②
$8 \times 16 + 3 =$
$8 \times (16 - 3) =$
$8 \times 16 - 3 = 125$

③
$40 - 4 \times 7 + 3 =$
$40 - (4 - 1) \times 8 =$
$40 - (4 \times 7 + 3) = 9$

④
$(1000 - 500) \div 4 = 125$
$1000 - 500 \div 4 =$
$1000 \div 4 - 500 =$

⑤
$23 \times 2 - 53 =$
$53 - 23 \times 2 = 7$
$(53 - 23) \div 2 =$

⑥
$30 \div 6 \div 2 =$
$30 \div (6 \div 2) = 10$
$30 \div 6 =$

①
$8 \times 4 + 2 = 34$
$8 \times (4 - 2) =$
$8 \times 4 - 2 =$

②
$700 \times 5 + 300 \times 3 = 4400$
$700 \div 5 + 300 \div 3 =$
$(700 \times 5 + 300) \times 3 =$

③
$40 - 8 \div 2 =$
$(40 - 8) \div 2 = 16$
$40 \div 2 - 8 =$

④
$11 + (11 - 2) \times 3 + 4 =$
$(11 - 2) \times 3 + 4 = 31$
$(11 - 2 + 4) \times 3 =$

⑤
$8 \times 4 - 10 \times 2 = 12$
$10 \div 2 - 8 \div 4 =$
$8 \times 10 - 4 \times 2 =$

⑥
$5000 - 3 \times 900 + 600 =$
$5000 - (3 \times 900 + 600) =$
$5000 - (900 \div 3 + 600) = 4100$

① $4 \times 4 - 5 \times 3 = 1$, 1
② $30 - (12 - 7) \times 3 = 15$, 15
③ $17 - 12 \div (5 - 2) = 13$, 13
④ $6 \times 4 - (6 + 4) = 14$, 14
⑤ $(4 \times 7 + 5) \div 3 = 11$, 11

3주차 - 도전! 계산왕

① 38 ② 6
③ 4 ④ 14
⑤ 56 ⑥ 4
⑦ 20 ⑧ 121
⑨ 8 ⑩ 60
⑪ 51 ⑫ 390

4주차 - 사칙 연산 혼합 계산

55쪽

① $6 \times 9 \div 3 + 16 - 9 = 25$

② $98 - 88 \div 22 \times 15 + 4 = 42$ ③ $25 \times 4 \div 2 - 6 \times 5 = 20$

④ $36 + 74 - 76 \div 4 + 23 = 114$ ⑤ $243 \times 3 - 4 + 12 \div 2 = 731$

⑥ $16 \times 20 - 55 \div 11 + 49 = 364$ ⑦ $8 \times 25 + 12 \times 16 \div 4 = 248$

56쪽

① 19　② 49
③ 44　④ 79
⑤ 129　⑥ 170
⑦ 110　⑧ 3
⑨ 13　⑩ 13
⑪ 66　⑫ 109

57쪽

① $32 \div 4 + 6 \times 4 = 32$
② $91 \div 7 \times 4 - 13 = 39$
③ $22 - 12 \times 6 \div 18 = 18$
④ $7 \times 6 - 38 \div 2 = 23$
⑤ $40 - 4 \times 6 + 20 \div 4 = 21$
⑥ $4 \times 4 - 8 + 99 \div 9 = 19$
⑦ $45 \div 9 + 6 \times 12 - 70 = 7$
⑧ $25 + 6 - 50 \div 10 \times 2 = 21$

58쪽

① $14 \times 6 \div 4 - 20 = 1$
② $1000 \div 200 \times 7 - 17 = 18$
③ $44 \div 4 + 6 \times 3 = 29$
④ $3 \times 9 - 96 \div 12 = 19$
⑤ $39 + 18 - 45 \div 9 \times 4 = 37$
⑥ $4 \times 3 - 8 + 121 \div 11 = 15$
⑦ $20 \div 2 + 8 \times 2 - 10 = 16$
⑧ $5 \times 6 + 12 \div 4 - 20 = 13$

59쪽

① 45　② 20
③ 85　④ 14
⑤ 4　⑥ 72
⑦ 30　⑧ 5
⑨ 9　⑩ 13
⑪ 17　⑫ 22

60쪽

① 75
50
150
75

② 7　③ 156
15　　2
7　　12
　　156

61쪽

① $2 \times 98 \div (8 + 6) = 14$
② $6 \times (49 - 25) \div 12 = 12$
③ $3 \times 32 \div (17 - 9) = 12$
④ $(184 - 25 \times 4) \div 12 = 7$
⑤ $5 \times (15 \div 3) + 20 = 45$
⑥ $5 \times (15 + 16 \div 4) = 95$
⑦ $105 \div (21 - 14) \times 5 = 75$

62쪽

① 72　② 75
③ 50　④ 18
⑤ 21　⑥ 112
⑦ 34　⑧ 3
⑨ 54　⑩ 12
⑪ 53　⑫ 51

63쪽

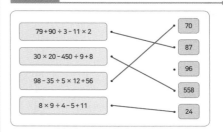

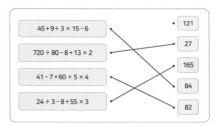

64쪽

① 32　② 60
③ 23　④ 32

65쪽

① +, ×, -
② +, -, ÷
③ +, ÷, -
④ ×, +, ÷
⑤ +, ×, -

이 외에도 다양한 답이 나올 수 있습니다.

① $60000 \div 10000 \times 4 + 2 = 26$
$60000 - 4 \times 10000 + 2 =$
$60000 - (4 \times 2) \times 10000 =$

② $2000 - 300 \times 2 - 1200 =$
$2000 - (300 \times 2 + 1200 \div 3) = 1000$
$2000 - 300 \times 2 - 1200 \times 3 =$

③ $10 \times 7 - 7 =$
$10 \times 7 \times 2 - 7 =$
$10 \times 7 \div 2 - 7 = 28$

④ $6 \times 3 + 4 \div 2 =$
$(6 \times 3 + 4) \div 2 = 11$
$(6 \times 3 - 4) \div 2 =$

⑤ $4 \times 1000 \times 5 - 2000 =$
$2000 - 1000 \div 4 \times 5 = 750$
$2000 - 1000 \div (4 \times 5) =$

⑥ $6 \times 15 \div 3 - 4 = 26$
$6 \times 15 \div 3 - 4 =$
$6 \times 15 - 3 - 4 =$

① $54+4\times6-15=63$, 63

② $8\times9-3+19=88$, 88

③ $4\times15\div10+9=15$, 15

④ $(11-8)\times6-15=3$, 3

⑤ $(15-6)\div3\times12=36$, 36

① $(14+6-12)\times4+2=34$, 34

② $(11+9)\div5\times12=48$, 48

③ $150-(7-3)\times16=86$, 86

④ $(21-25\div5)\times2=32$, 32

⑤ $6\times(91\div7+3)=96$, 96

5주차 - 괄호가 있는 혼합 계산

① 220 ② 15
   11, 20   45, 3
   220   15

③ 27 ④ 366
   21, 20   50, 8
   7   400
   27   366

① 40 ② 9
   5, 8   63, 7
   40   9

③ 115 ④ 9
   5, 23   144, 16
   115   9

⑤ 10 ⑥ 96
   5, 5   104, 11
   2   107
   10   96

① 60 ② 6
③ 171 ④ 9
⑤ 108 ⑥ 4
⑦ 5 ⑧ 42
⑨ 5 ⑩ 56
⑪ 8 ⑫ 20

① 3 ② 4
   5   28, 18, 6
   5   24
   13   4
   3

① $\{25 \times (5-3) + 20\} \div 10 = 7$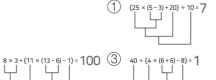

② $8 \times 3 + \{11 \times (13-6) - 1\} = 100$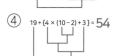

③ $40 \div \{4 \times (6+6) - 8\} = 1$

④ $19 + \{4 \times (10-2) + 3\} = 54$

⑤ $180 \div \{2 \times (50-5) - 80\} = 18$

⑥ $12 \times \{22 + (18-2) \div 2\} = 360$

⑦ $94 \div \{2 + 3 \times (6+9)\} = 2$

① 47 ② 90
③ 8 ④ 2
⑤ 10 ⑥ 36
⑦ 29 ⑧ 4
⑨ 72 ⑩ 70
⑪ 6 ⑫ 96

① 12 ② 5
   60, 5   5, 1
   120, 10   5
   12   7
       5

③ 115 ④ 42
   60   6, 20
   15   26
   55   14
   110   42
   115

① $(63-3) \div \{5 \times (5+1) - 10\} = 3$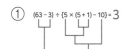

② 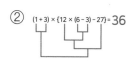 $(1+3) \times \{12 \times (6-3) - 27\} = 36$

③ 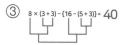 $8 \times (3+3) - \{16 - (5+3)\} = 40$

④ 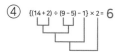 $\{(14+2) \div (9-5) - 1\} \times 2 = 6$

78쪽

① 68　　④ 11

② 3　　⑤ 6

③ 45　　⑥ 8

79쪽

① >　　④ <

② =　　⑤ >

③ <

80쪽

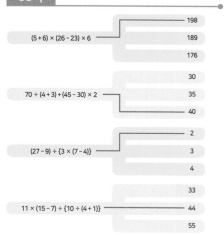

$(5+6) \times (26-23) \times 6$ ── 198 / 189 / 176

$70 \div (4+3) + (45-30) \times 2$ ── 30 / 35 / 40

$(27-9) \div \{3 \times (7-4)\}$ ── 2 / 3 / 4

$11 \times (15-7) \div \{10 \div (4+1)\}$ ── 33 / 44 / 55

81쪽

① 8, 3　　④ 5, 7

② 9, 5　　⑤ 2, 6

③ 8, 5　　⑥ 4, 1

82쪽

① 11
$$8■5=5+(8-5)\times2$$
$$=5+3\times2$$
$$=5+6$$
$$=11$$

② 17
$$9■1=1+(9-1)\times2$$
$$=1+8\times2$$
$$=1+16$$
$$=17$$

③ 8
$$7■6=6+(7-6)\times2$$
$$=6+1\times2$$
$$=6+2$$
$$=8$$

④ 16
$$12■8=8+(12-8)\times2$$
$$=8+4\times2$$
$$=8+8$$
$$=16$$

⑤ 18
$$15■12=12+(15-12)\times2$$
$$=12+3\times2$$
$$=12+6$$
$$=18$$

83쪽

① 3
$$23◇11=(23-14)\div(11-8)$$
$$=9\div3$$
$$=3$$

② 9
$$50◇12=(50-14)\div(12-8)$$
$$=36\div4$$
$$=9$$

③ 9
$$77◇15=(77-14)\div(15-8)$$
$$=63\div7$$
$$=9$$

④ 12
$$74◇13=(74-14)\div(13-8)$$
$$=60\div5$$
$$=12$$

⑤ 26
$$118◇12=(118-14)\div(12-8)$$
$$=104\div4$$
$$=26$$

⑥ 4
$$110◇32=(110-14)\div(32-8)$$
$$=96\div24$$
$$=4$$

84쪽

① 8
$$8☆4=8\times\{(8-4)\div2-1\}$$
$$=8\times\{4\div2-1\}$$
$$=8\times1$$
$$=8$$

② 18
$$9☆3=9\times\{(9-3)\div2-1\}$$
$$=9\times\{6\div2-1\}$$
$$=9\times2$$
$$=18$$

③ 114
$$19☆5=19\times\{(19-5)\div2-1\}$$
$$=19\times\{14\div2-1\}$$
$$=19\times6$$
$$=114$$

④ 56
$$14☆4=14\times\{(14-4)\div2-1\}$$
$$=14\times\{10\div2-1\}$$
$$=14\times4$$
$$=56$$

⑤ 161

    23☆7=23×{(23-7)÷2-1}

          =23×{16÷2-1}

          =23×7

          =161

⑥ 340

    34☆12=34×{(34-12)÷2-1}

           =34×{22÷2-1}

           =34×10

           =340

6주차 - 도전! 계산왕

86쪽

① 105		② 105	
③ 5		④ 14	
⑤ 16		⑥ 10	
⑦ 3		⑧ 12	
⑨ 50		⑩ 37	
⑪ 20		⑫ 62	

87쪽

① 40		② 10	
③ 25		④ 12	
⑤ 31		⑥ 16	
⑦ 38		⑧ 1	
⑨ 30		⑩ 59	
⑪ 3		⑫ 30	

88쪽

① 7		② 62	
③ 6		④ 14	
⑤ 7		⑥ 150	
⑦ 99		⑧ 87	
⑨ 65		⑩ 22	
⑪ 36		⑫ 8	

89쪽

① 34		② 7	
③ 20		④ 55	
⑤ 140		⑥ 41	
⑦ 109		⑧ 135	
⑨ 3		⑩ 13	
⑪ 105		⑫ 16	

90쪽

① 18		② 25	
③ 23		④ 42	
⑤ 144		⑥ 2	
⑦ 1		⑧ 23	
⑨ 9		⑩ 4	
⑪ 29		⑫ 12	

91쪽

① 46		② 4	
③ 238		④ 12	
⑤ 28		⑥ 9	
⑦ 155		⑧ 32	
⑨ 40		⑩ 143	
⑪ 26		⑫ 28	

92쪽

① 120		② 190	
③ 26		④ 9	
⑤ 76		⑥ 58	
⑦ 16		⑧ 22	
⑨ 28		⑩ 30	
⑪ 3		⑫ 58	

93쪽

① 6		② 15	
③ 14		④ 6	
⑤ 216		⑥ 94	
⑦ 48		⑧ 34	
⑨ 28		⑩ 15	
⑪ 7		⑫ 33	

94쪽

① 17		② 20	
③ 12		④ 5	
⑤ 2		⑥ 62	
⑦ 25		⑧ 2	
⑨ 56		⑩ 48	
⑪ 31		⑫ 33	

95쪽

① 9		② 138	
③ 48		④ 23	
⑤ 61		⑥ 70	
⑦ 108		⑧ 17	
⑨ 69		⑩ 4	
⑪ 19		⑫ 29	

총괄 테스트

이름　　　점수

1 권 혼합 계산

01 두 식을 계산하고 계산 결과가 같은 것에 ○표 하세요.
① 45 + 12 + 17 = 74
　 45 + (12 + 17) = 74 ⟵○
② 88 - 14 + 25 = 99
　 88 - (14 + 25) = 49

02 계산 결과가 잘못된 식을 모두 찾아 괄호를 써넣어 식을 바르게 고쳐 보세요.

34 - 25 + 7 = 16	45 ÷ (9 ÷ 3) 15
36 × 8 ÷ 4 = 72	85 - (68 + 7) 10

03 계산 순서에 따라 □에 알맞은 수를 써넣으세요.
① (20 + 8 ÷ 2) + 16 = 40　　4　24　40
② (27 + 15 × 3) ÷ 24 = 3　　45　72　3

04 계산을 하세요.
① 45 + 48 ÷ 8 = 51
② 42 - (18 + 17) = 7
③ 216 ÷ (6 × 6) = 6
④ 45 - 39 ÷ 3 = 32

05 수의 크기를 비교하여 >, < 또는 =을 알맞게 써넣으세요.
① 4 × (5 + 13) < 75
② 95 ÷ (80 - 61) > 4

06 선을 그려 계산 순서를 나타내고 계산을 하세요.

① 45 + 9 + 3 × 4 = 17
② 56 ÷ 8 × 2 - 11 = 3

07 ( )가 있는 식이 성립하도록 □에 +, -, ×, ÷를 알맞게 써넣으세요.

① 3 + 6 ÷ (6 - 4) = 6
② 3 × (4 + 3) - 7 = 14

08 다음과 같은 규칙으로 계산해 보세요.

■ ◇ ● = (■ - 13) ÷ (● - 5)
33 ◇ 15 = 2
37 ◇ 13 = 3

09 계산을 하세요.
① (8 + 10 × 10) - 40 ÷ 8 = 103
② (4 + 5) × (10 - 3) = 63
③ 5 × 3 - 11 + 84 ÷ 7 = 16
④ (9 + 66) ÷ (7 + 8) = 5

10 3명의 학생이 4명씩 짝을 지어 보트를 묶고, 긴 보트에 노가 2개씩 있습니다. 학생들이 탄 보트에 노는 모두 몇 개일까요? 답을 구하세요.
식: 36 ÷ 4 × 2 = 18　답: 18 개

총괄 테스트

11 두 식을 계산하고 계산 결과가 같은 것에 ○표 하세요.
① 15 + 22 + 13 = 50
　 15 + (22 - 13) = 24
② 76 - 11 - 34 = 31
　 76 - (11 + 34) = 31 ⟵○

12 계산 결과가 잘못된 식을 모두 찾아 괄호를 써넣어 식을 바르게 고쳐 보세요.

47 - 5 × 3 = 32	55 ÷ (5 + 5) 55
44 × 2 ÷ 4 = 22	72 ÷ (28 + 4) 40

13 계산 순서에 따라 □에 알맞은 수를 써넣으세요.
① (40 ÷ 12 ÷ 3) + 26 = 70　　4　44　70
② (15 + 12 × 5) ÷ 15 = 5　　60　75　5

14 계산을 하세요.
① 25 + 80 ÷ 16 = 30
② 95 - (13 + 25) = 57
③ 306 ÷ (6 × 3) = 17
④ 99 - 72 ÷ 12 = 93

15 수의 크기를 비교하여 >, < 또는 =을 알맞게 써넣으세요.
① 7 × (8 + 22) > 200
② 111 ÷ (50 - 13) < 5

16 선을 그려 계산 순서를 나타내고 계산을 하세요.

① 56 + 8 × 2 - 3 = 69
② 36 - 9 ÷ 3 + 71 = 104

17 ( )가 있는 식이 성립하도록 □에 +, -, ×, ÷를 알맞게 써넣으세요.

① 12 - 3 × (5 - 2) = 3
② 6 × (3 + 4) ÷ 2 = 21

18 다음과 같은 규칙으로 계산해 보세요.

■ ◇ ● = (■ + 2) × (● - 7)
13 ◇ 27 = 300
16 ◇ 14 = 126

19 계산을 하세요.
① (20 + 9 × 3) - 20 ÷ 4 = 42
② (8 + 7) × (6 - 2) = 60
③ 4 × 7 - 18 + 39 ÷ 3 = 23
④ (16 + 9) ÷ (2 + 3) = 5

20 3000원으로 500원짜리 연필을 2자루 사고, 3개에 900원인 지우개 1개를 샀습니다. 남은 돈은 얼마인가요? 식을 세우고 답을 구하세요.

식: 3000 - (500 × 2 + 900 ÷ 3) = 1700
답: 1700 원

초등 | 수학 전문가가 만든 연산 교재

원리셈

원리 이해

다양한 계산 방법

충분한 연습

성취도 확인

그 많은 문제를 풀고도 몰랐던

초등 사고력 수학의 원리 1
초등 사고력 수학의 전략 2

● 초등 사고력 수학의 원리 1

원리는 수학의 시작

● 초등 사고력 수학의 전략 2

문제해결은 수학의 끝

✓ **진정한 수학 실력은** 원리의 이해와 문제 해결 전략에서 나온다.

✓ **수학의 시작과 끝을** 제대로 알고 수학 실력 올리자!

✓ **재미있게 읽을 수 있는** 17년 초등 사고력 수학의 노하우

천종현수학연구소의 교재 흐름도

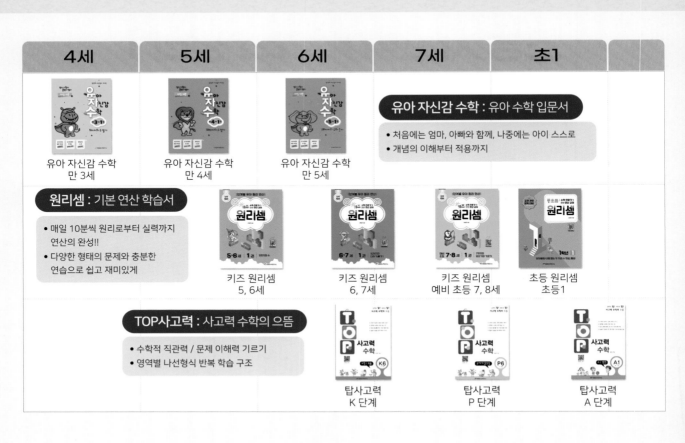

4세	5세	6세	7세	초1	

유아 자신감 수학 : 유아 수학 입문서
- 처음에는 엄마, 아빠와 함께, 나중에는 아이 스스로
- 개념의 이해부터 적용까지

유아 자신감 수학 만 3세 / 유아 자신감 수학 만 4세 / 유아 자신감 수학 만 5세

원리셈 : 기본 연산 학습서
- 매일 10분씩 원리로부터 실력까지 연산의 완성!!
- 다양한 형태의 문제와 충분한 연습으로 쉽고 재미있게

키즈 원리셈 5, 6세 / 키즈 원리셈 6, 7세 / 키즈 원리셈 예비 초등 7, 8세 / 초등 원리셈 초등1

TOP사고력 : 사고력 수학의 으뜸
- 수학적 직관력 / 문제 이해력 기르기
- 영역별 나선형식 반복 학습 구조

탑사고력 K 단계 / 탑사고력 P 단계 / 탑사고력 A 단계

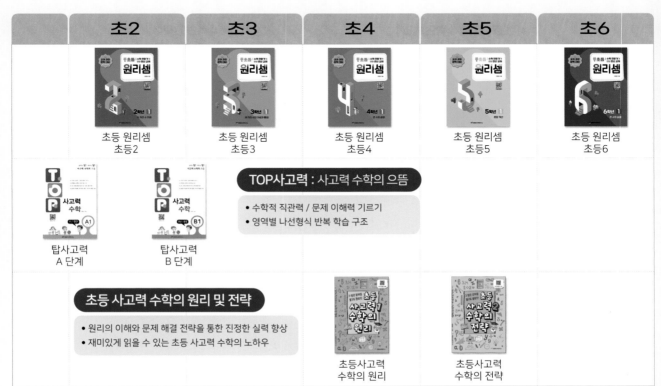

초2	초3	초4	초5	초6

초등 원리셈 초등2 / 초등 원리셈 초등3 / 초등 원리셈 초등4 / 초등 원리셈 초등5 / 초등 원리셈 초등6

TOP사고력 : 사고력 수학의 으뜸
- 수학적 직관력 / 문제 이해력 기르기
- 영역별 나선형식 반복 학습 구조

탑사고력 A 단계 / 탑사고력 B 단계

초등 사고력 수학의 원리 및 전략
- 원리의 이해와 문제 해결 전략을 통한 진정한 실력 향상
- 재미있게 읽을 수 있는 초등 사고력 수학의 노하우

초등사고력 수학의 원리 / 초등사고력 수학의 전략

총괄 테스트

이름   점수

01 두 식을 계산하고 계산 결과가 같은 것에 ◯표 하세요.

①
45 + 12 + 17 =

45 + (12 + 17) =

②
88 − 14 + 25 =

88 − (14 + 25) =

02 계산 결과가 잘못된 식을 모두 찾아 괄호를 써넣어 식을 바르게 고쳐 보세요.

34 − 25 + 7 = 16	45 ÷ 9 ÷ 3 = 15
36 × 8 ÷ 4 = 72	85 − 68 + 7 = 10

03 계산 순서에 따라 □에 알맞은 수를 써넣으세요.

①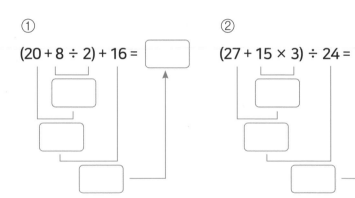

(20 + 8 ÷ 2) + 16 = ☐

②

(27 + 15 × 3) ÷ 24 = ☐

04 계산을 하세요.

① 45 + 48 ÷ 8 =

② 42 − (18 + 17) =

③ 216 ÷ (6 × 6) =

④ 45 − 39 ÷ 3 =

05 수의 크기를 비교하여 >, < 또는 =를 알맞게 써넣으세요.

①
4 × (5 + 13) ◯ 75

②
95 ÷ (80 − 61) ◯ 4

06 선을 그려 계산 순서를 나타내고 계산을 하세요.

① 45 ÷ 9 + 3 × 4 =

② 56 ÷ 8 × 2 − 11 =

07 ( )가 있는 식이 성립하도록 □에 +, −, ×, ÷를 알맞게 써넣으세요.

①

3 ☐ 6 ☐ (6 ☐ 4) = 6

②

3 ☐ (4 ☐ 3) ☐ 7 = 14

08 다음과 같은 규칙으로 계산해 보세요.

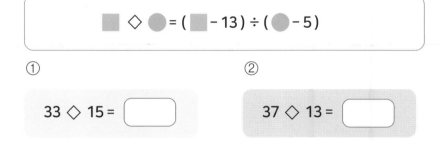

■ ◇ ● = (■ − 13) ÷ (● − 5)

①
33 ◇ 15 = ☐

②
37 ◇ 13 = ☐

09 계산을 하세요.

① (8 + 10 × 10) − 40 ÷ 8 =

② (4 + 5) × (10 − 3) =

③ 5 × 3 − 11 + 84 ÷ 7 =

④ (9 + 66) ÷ (7 + 8) =

10 36명의 학생이 4명씩 짝을 지어 보트를 탔고, 각 보트에 노가 2개씩 있습니다. 학생들이 탄 보트의 노는 모두 몇 개일까요? 식을 세우고 답을 구하세요.

식 : _____   답 : _____개

11 두 식을 계산하고 계산 결과가 같은 것에 ○표 하세요.

① $15 + 22 + 13 =$

$15 + (22 - 13) =$

② $76 - 11 - 34 =$

$76 - (11 + 34) =$

12 계산 결과가 잘못된 식을 모두 찾아 괄호를 써넣어 식을 바르게 고쳐 보세요.

$47 - 5 \times 3 = 32$	$55 \div 5 \div 5 = 55$
$44 \times 2 \div 4 = 22$	$72 - 28 + 4 = 40$

13 계산 순서에 따라 □에 알맞은 수를 써넣으세요.

①
$(40 + 12 \div 3) + 26 = \boxed{}$

②
$(15 + 12 \times 5) \div 15 = \boxed{}$

14 계산을 하세요.

① $25 + 80 \div 16 =$

② $95 - (13 + 25) =$

③ $306 \div (6 \times 3) =$

④ $99 - 72 \div 12 =$

15 수의 크기를 비교하여 >, < 또는 =를 알맞게 써넣으세요.

①
$7 \times (8 + 22) \bigcirc 200$

②
$111 \div (50 - 13) \bigcirc 5$

16 선을 그려 계산 순서를 나타내고 계산을 하세요.

① $56 + 8 \times 2 - 3 =$

② $36 - 9 \div 3 + 71 =$

17 ( )가 있는 식이 성립하도록 □에 +, −, ×, ÷를 알맞게 써넣으세요.

①
$12 \boxed{} 3 \boxed{} (5 \boxed{} 2) = 3$

②
$6 \boxed{} (3 \boxed{} 4) \boxed{} 2 = 21$

18 다음과 같은 규칙으로 계산해 보세요.

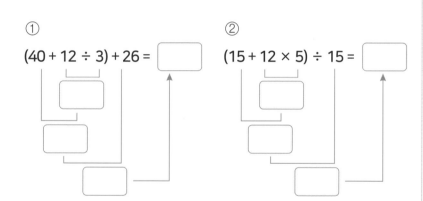

■ ◇ ● = (■ + 2) × (● − 7)

①
$13 ◇ 27 = \boxed{}$

②
$16 ◇ 14 = \boxed{}$

19 계산을 하세요.

① $(20 + 9 \times 3) - 20 \div 4 =$

② $(8 + 7) \times (6 - 2) =$

③ $4 \times 7 - 18 + 39 \div 3 =$

④ $(16 + 9) \div (2 + 3) =$

20 3000원으로 500원짜리 연필을 2자루 사고, 3개에 900원인 지우개 1개를 샀습니다. 남은 돈은 얼마인가요? 식을 세우고 답을 구하세요.

식 : _____

답 : _____ 원